JN113576

元リクルートのすごいまちづくり 3

SRRIかもめ地域創生研究所

CAPエンタテインメント

はじめに

2017年に設立したかもめ地域創生研究所が責任編集する本シリーズ「元リクルートのすごいまちづくり」（前タイトル「リクルートOBのすごいまちづくり」。ジェンダーレスの時代に合わせて改変）も、おかげさまで民間編2作、議員編1作に続く第4弾を発刊することができました。

前作はリクルート出身で議員として活躍している人々が執筆した「議員編」。2023年の統一地方選挙では所属政党はそれぞれ違いますが、総勢27名の仲間が選挙に挑み、24名の当選者が誕生しました。これから、議会でも元リクルートらしい泥臭さとビジネスマインドをフルに発揮して頑張ってくれると思います。

一方、民間の立場で地域課題に取り組み、事業を展開したり、地方自治体とコラボしたりしているメンバーも続々と増えています。元リクルートが6850名参加する非公開のフェイスブックグループで執筆者募集したところ、次々と興味深い事例を提供してもらい、掲載選考に悩むという嬉しい悲鳴となりました。

リクルートのビジネスは、しばしば「おみくじビジネス」と呼ばれます。

この「おみくじ」に書かれるような「縁談」「旅行」「商売」「転居」「学問」などの領域に強みを持つ企業です。就職の「リクナビ」、結婚の「ゼクシィ」、旅行の「じゃらん」、不動産の「SUUMO」…これらは、どれも人生の重い決断を伴う大切なイベントなので、暮らしの中で人々が情報を必要とし、意思決定の支援を欲しているわけです。必然的に地方自治体の住民サービス分野と重なる部分も多く、リクルート卒業後にその関連ビジネスに従事する人材が多いのもうなずけます。そうした領域的強さに加えて、潜在的な価値を見出す、価値を磨きあげる、価値と価値を結びつけ高付加価値化する、といった「目利き」と「増幅力」という強みが「すごい成果」を生み出しているのかもしれません。

昨今は、PFI、PPPなど官民連携の形も進化・拡大しているので、ますます元リクルートの活躍の場は拡がっていくのではないでしょうか。

私自身もリクルート卒業後に映画会社を経営していた経験から、その時のネットワークを活かし、広島県福山市の広報アドバイザーとして「バットマンの舞台であるゴッサムシティと福山市の友好都市提携」という企画を2022年に実現しました。きっかけはバットマンのロゴと福山市の市章が似ているという市民の声なのですが、ハリウッド映画「ＴＨＥ ＢＡＴＭＡＮ」の架空の都市との友好都市提携は世界初、史上初としてテレビや新聞などマスコミで大々的に取り上げられ、ツイッタートレンドベスト10にもランクイン。主演のバットマンを演じたロバート・パティンソンとキャットウーマンに扮したゾーイ・クラヴィッツから、福山城築城４００年に対するお祝いメッセージ動画が届くなど、福山城の魅力を世界に発信し、築城４００年イベントを大いに盛り上げてくれました。

地方自治体が単独で動くと大きな予算が必要な事業も、民間の知恵と人脈をうまく使えばコスパが良く、効果が倍増する政策はまだまだたくさんあるはずです。

かもめ地域創生研究所は、そうした事例を共有しながら官民連携の担い手をどんどん輩出していきたいと思っています。

株式会社ＣＡＰ 代表取締役
かもめ地域創生研究所 理事　樫野 孝人

目次

第1話

地域の地域による地域のための観光を

～稼げる観光地域づくりを目指して～

鈴木宏一郎
Suzuki Kouichirou

鈴木 宏一郎
（すずき こういちろう）

Profile

1965年北九州市生まれ。1歳から高校卒業までを兵庫県西宮市で過ごし、1988年東北大学卒業後、株式会社リクルート入社。東北支社HR、広報企画部、北海道支社HRと9年間の新卒採用広告営業の後に北海道地域活性事業グループを立ち上げ。九州に異動して鹿児島と北九州の「ホットペッパー」2版同時創刊を成功させた後に、「ホットペッパー」名古屋版、仙台版の編集長を歴任、2005年に退職。北海道にIターン移住して2007年に株式会社北海道宝島旅行社設立と同時に代表取締役社長に就任。北海道支社在籍時代に修了した小樽商科大学大学院で「北海道に外貨を稼げ」という恩師の教えに共鳴して書いた修士論文「地域経営型グリーンツーリズムによる北海道の地域活性化」が、「宝の島・北海道の、地域の各セクターが役割分担と連携をすることで、外から受け入れる観光客から外貨を獲得して地域を活性化する」ことを目指す事業の設計図となり、現在に至る。

株式会社北海道宝島旅行社 代表取締役社長（http://hokkaido-takarajima.com/）

一般社団法人JARTA(Japan Alliances of Responsible Travel Agencies) 理事

北海道観光審議会委員、次期札幌市観光まちづくりプラン検討委員、地球の歩き方総研スーパーガイド表彰制度検討委員、他

E-mail：suzuki@hokkaido-takarajima.com

観光は地域活性化のための道具

わが国は平成15年（2003年）の観光立国宣言から、外国人観光客を呼び込むことで外貨を獲得し、経済の活性化を図ろうとする取り組みを進めてきました。コロナ禍による停滞はあるものの、2030年に訪日客6000万人、関連消費額15兆円という目標を今も堅持しています。割り算をすると一人あたりの消費額の目標は25万円、コロナ前の平均消費額が15万9000円だったことを比較すると、これまでの延長線上にない新たな打ち手が必要であることがわかります。また、オーバーツーリズムの問題さえ起った京都や鎌倉等の有名観光地以外の地域や、観光関連産業以外の産業へ、どのように波及効果を生み出していくかという道筋も未だ確立できていないと思います。

私は2007年に株式会社北海道宝島旅行社を起業しました。リクルートでもじゃらん等の旅行事業に縁がなく、全くの素人の挑戦でした。大好きな北海道に移住したい、何かしらのカタチで北海道に貢献して認められたいという思いで旅行業を選びましたので、社名の通り、来道される観光客に対して「宝の島・北海道」の楽しみ方だけを提供する100％着地型の旅行会社です。思いは立派ですが、創業当初は大変な苦労をしました。

宿泊施設や交通事業者、ガイドや体験事業者、飲食関係者といった観光関連のパートナーはもちろん、道内各地の農林漁業者や商店街、地域で暮らす老若男女の方々に、経済波及効果や生きがい、やりがいを提供したい。道民にシビックプライドが醸成され、日々の暮らしを楽しみ、将来への希望を持てる幸せな地域づくりに寄与したい。その思いにこだわってこの16年間にやってきたことが、全国で同様に観光地域づくりに取り組む方々のために少しでも参考になれば幸せです。地域を愛し、地域に土着し、地域の宝物を活かして、地域のために頑張る旅行会社や観光協会が全国各地で躍動し、その横の連携によってわが国が世界一の旅行目的地となることが私の夢です。

北海道のために人生をかけて

私は、誰よりも北海道のことが大好きと公言していますが、北海道出身ではありません。学生時代にオートバイで何度も北海道を旅した時に、道内各地の方々に本当に良くしてもらった体験交流の思い出が北海道好きの原点です。27歳の時に、念願かなってリクルート北海道支社に異動させてもらい、マネージャーに昇進した頃に北海道拓殖銀行が倒産しました。受注キャンセルの嵐の中で立ち上げたのが、リクルートのインフラを活用して地域の課題解決の支援をさせていただこうという地域活性化事業部の北海道グループでした。北海道庁や道内212市町村（当時）に営業し、求人サービスを使った移住定住施策や、じゃらん等を使った観光振興施策の事業を受託させていただきました。この時に感じた各地域の魅力や、出会った人々の熱い思いによって、ますます北海道に惚れ込むことになりました。

北海道支社に9年在籍した最後の2年間に、小樽商科大学大学院に通いました。そこで書き上げたのが、インバウンド観光客の取り込みによる北海道の地域活性化をテーマにした論文でした。２０００年当時、今日のようなインバウンド観光客数の爆発もなく、地域主体の観光を進めるＤＭＯやＤＭＣ（観光地域づくりコーディネート組織や会社）といった議論が出る前に、この論文を書いた慧眼は我ながら大したものだったと思います（笑）。

大学院修了のタイミングで、札幌から鹿児島に飛ばされました（笑）。「ホットペッパー」の新版立ち上げから大都市版まで、4年間に毎年転勤して関わらせてもらった編集部は7版。組織の立ち上げや運営等について勉強させてもらったこと、全ての地域に今でも飲みに集まってくれる元メンバーがいる幸せに感謝しています。また、自分はそろそろどこかひとつの地域に腰を据え、ネットワークを大切に広げながら持続的な仕事をしたいと、リクルート退職の背中を押してくれたのも最後の「ホットペッパー」の4年間でした。

株式会社北海道宝島旅行社の歩み

リクルートを退職して北海道にＩターン、大学院で一緒に学んだ仲間が経営しているコンサル会社にお世話になった後、２００７年4月に起業して16年が経過しました。北海道支社で一緒に地域活性事業グループを立ち上げた後輩の林直樹と2人で、大好きな北海道の地域の役に立ちたいという思いを持ってひたむきに（正直に言うと手探りで）歩いてきました。その3ステップの事業展開が、地域が観光に取り組む上での一つのモデルとなると思います。

第一段階として、全道各地で頑張っているアウトドア等の体験交流型観光プログラムの事業者を訪問して、彼らのプログラムを検索予約できるポータルサイト「北海道体験」を立ち上げました。その頃にはまだタビナカ消費という言葉はありませんでしたが、私や林が惚れ込んだ北海道各地の体験交流プログラムこそが地域への訪問目的となり、滞在時間と消費金額を増やしてリピーターを生み出すと信じて、全道を巡って私たちの思いを語り、サイトの掲載プログラム数を少しずつ増やしていきました。各地域にどんな事業者が、どんなコンテンツをどんな思いで展開しているかを知ることと、その方々の販促支援を少しでもお手伝いする機能を持つことは重要な最初の一歩です。ただ残念ながら、この仲介サービスだけでは事業として成り立ちません。サイトに掲載している5000円の体験プログラムを4人家族に購入していただいた時に、こちらがいただくマージンは10％として2000円。サイトの制作・維持費、PR費、スタッフの人件費等との収支のバランスを取ることが、非常に難しいことだとわかります。

第二段階として、全道各市町村の観光地域づくりや、オリジナルの体験交流型観光プログラムの造成支援等に取り組みました。リクルート時代に学んだ行政営業です。既存の有名観光地ではない地域に伺って、第三者目線で地域の宝物を抽出しての観光商品化や、観光における地域コーディネート機能を果たす組織作りや人材育成の支援をさせていただいています。このネットワークが、北海道を周遊して楽しむ観光客へ、それぞれの地域ならではの楽しみ方を提供できるベースとなり、同時に、悪天候時等に代替案を提示できるコーディネート力となっています。

この段階で起業して4年、まだまだ累損が膨らみ続ける一方でした。ここでやっと旅行業界の大ベテランに入社してもらい、旅行業免許を取得しての第三段階に入ります。旅行業を始めてはみたものの、日本人相手の募集型旅行サービスは過当競争のレッドオーシャン。私たちはこの頃に始まった国を挙げてのインバウンド観光振興施策である〝VISIT JAPAN〟の波に乗り、インバウンドに活路を見出そうとしました。大手や外国企業の下請けに入らず、直接B to Cの顧客を獲得するために自社のウェブサイトを充実させ、北海道土着の旅行会社による北海道限定のオーダーメイドツアーサービスの提供を始めたのです。旅行の大枠の組み立ては道外や海外の旅行会社でもできると思いますが、第一段階の「北海道体験」で積み上げた道内の体験交流型観光事業者の情報や信頼関係、第二段階で培った道内各地の市町村や観光協会等とのネットワークの活用は他社の追随を許しません。また、あえて英語圏のお客様だけに対象を絞り、昔も今も来道客の大多数を占める東アジア（中国・台湾・韓国）のマーケットを対象としなかったことも、今となって振り返るといろいろな意味で正解だったと思います。

英語圏の比較的富裕層のインバウンド顧客に対するオーダーメイド北海道ツアーサービスが軌道に乗ったのは、起業から7〜8年目くらいでした。例えば、あるインドネシアの5人家族が、道内を10泊11

（上）北海道各地の地域の方々と交流を楽しむインバウンドのお客様
（左）第2回日本サービス大賞・優秀賞の表彰式

日で楽しんでくださる旅行費用は飛行機代抜きで総額400万円超（一人あたり80万円の消費は、インバウンド顧客一人あたりの消費金額目標25万円の3倍以上！）。チャーターしたトヨタ・アルファードに通訳案内士を乗せて、道内各地のアウトドアガイドや農林漁業者、商店街の方々との体験交流を楽しんでもらい「世界中を旅してきた中で今回の北海道の旅が最高だった」と言っていただいています。道内各地域へ、少しでも外貨を落としていってもらう仕組みを作りたいというこだわりは、「地域の魅力を価値に変える訪日外国人向け体験型旅行サービス」として、2018年の「第2回日本サービス大賞」で優秀賞をいただきました。

旅行業界素人の疑問

誤解を恐れずに極端に言うと、私にはいわゆる旅行会社のツアーが「募集型×団体×有名観光地の物見遊山×できるだけ安く×1回きり」に見えました。自分で手配するよりも料金は安いかもしれないけれど、同行者はどんな人たちかわからないし、あまり代わり映えのしないコースで、出発日は旅行会社の都合で設定。みんなが薄利のレッドオーシャンで競争するので、そのしわ寄せが地域の事業者への値引きや無理な対応の要求になりかねないのでは…と。観光は地域の持続可能性を担保する道具だと考えると、旅行会社の利益は担保しつつも、地域の持続可能性と顧客満足を両立させるために、これからのツアー商品は「受注型×1グループ×地域との体験交流×高単価×リピート」でなければならないと思います。「今だけここだけあなただけ」の高付加価値な内容を妥当な価格で提供すること。それぞれの地域が観光を通じて獲得したい価値を設定して、その具現化に貢献してくれそうな顧客ターゲットの質・量を決めること。それらの内容を深く理解し、地域が求めるお客様を獲得してお連れしようと努力する、地域に土着の旅行会社が必要です。

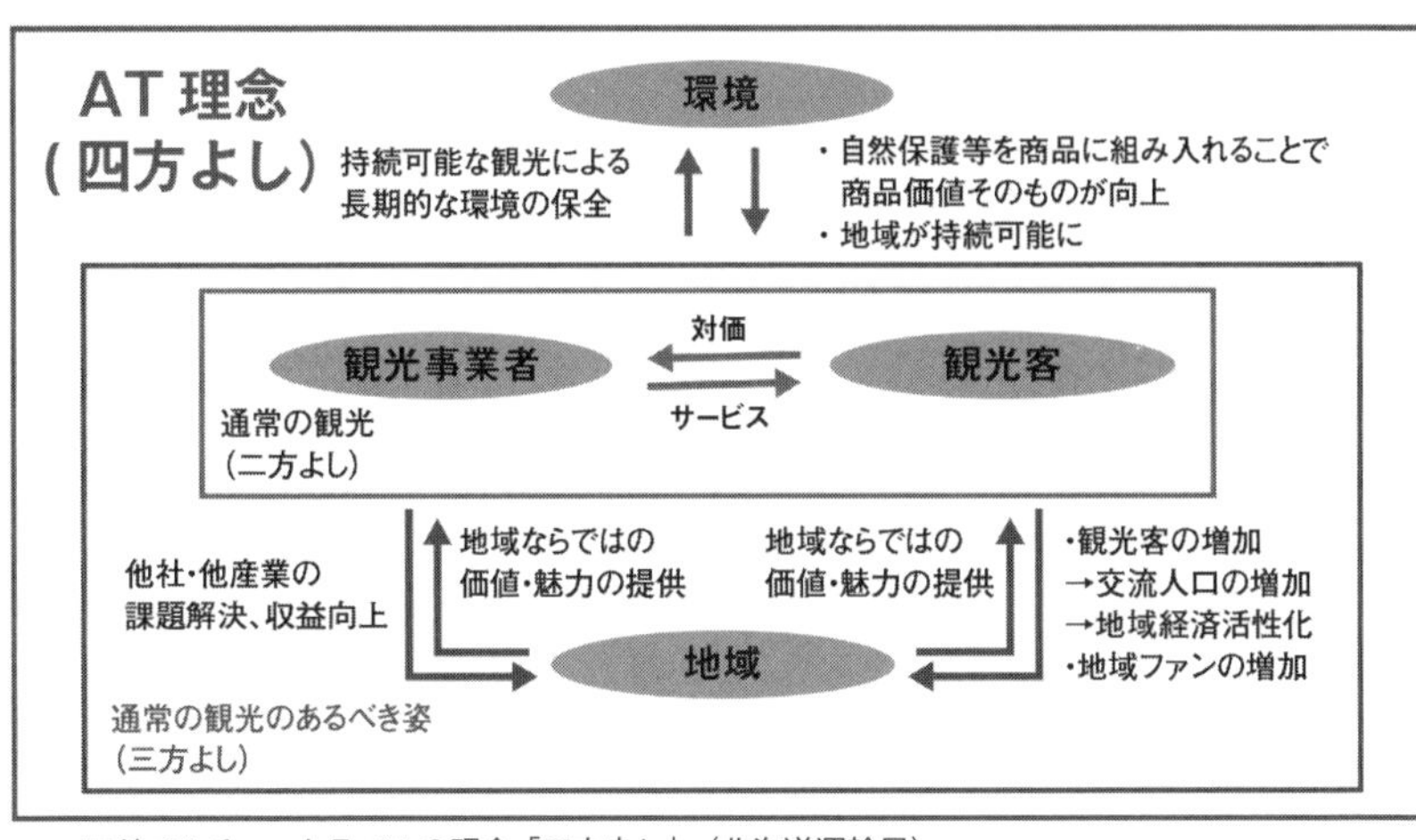

アドベルチャートラベルの理念「四方良し」（北海道運輸局）

後世に残すべき地域の歴史・文化・自然・産業等の宝物を守り続けている地域住民の「おすそわけ」と、そこに観光客をお連れする旅行会社やコーディネーターの「おもてなし」の連携が大切です。「旅は他火（たび）」、ツアー中に交流する地域住民の人数が、旅行者の満足度に比例するのです。また、人手のかかる「おすそわけ」や「おもてなし」にきちんとした対価を設定することで、地域における新たな雇用の創出に結び付けることができれば良いと思います。

観光業界のイノベーションのチャンス

コロナ禍の少し前から、インバウンドマーケットの伸びは陰りを見せていました。数は来ていても狙いの消費金額が伸び悩んでいたのです。コロナ禍明けの反動や、円安の効果によって、インバウンドが盛り上がっていく今こそ、わが国の観光は大きく変わるべきタイミングだと思います。高齢化と人口減少が進み、わが国、そして各地域が格好良く縮んでいくためには、どのような観光客に、どのように滞在消費してもらって、どうなっていきたいのか？　まず日本国民が「住んで良し」、次にインバウンド観光客が「訪れて良し」、その上で地域に良い波及効果を生み出し、環境にも好影響を生み出していくという「四方良し」の具現化を目指していかなければなりません。

今、わが国はアドベンチャートラベル（以下AT）に注力しようとしています。ATとは冒険旅行ではなく「個人を対象とした、ガイドサービスによって地域の本物を楽しむ受注型のオーダーメイドツアー」であり、弊社がこれまで10年来取り組んできたことに非常に近いスタイルです。その実現には、図にあるとおりの3階層の役割分担が必要です。裾野に広がる各種体験交流アクティビティや宿泊施設、飲食店等は、各地域ならではの素晴らしいコンテンツとして既に整備が進んでいるかと思います。重要なのは各地域の「地域コーディネーター」と、より広域の「ツアーオペレーター」です。「地域コーディネーター」は、地域ならではの体験交流アクティビティや宿泊、飲食サービス等を組み合わせて季節ごとのモデルプランを作り、マーケットからの問い合わせに対してワンストップで対応、手配をできる機能を持ちます。また、地域の宝物である農林漁業者や商店街の方々に過度な負担をかけないように、些事まで全てをバックアップして価値に変えること。悪天候時等に代替プランを臨機応変に組み立てることができる、広く深い地域ネットワークを持っていること等が期待されます。いわゆるＤＭＯ・ＤＭ

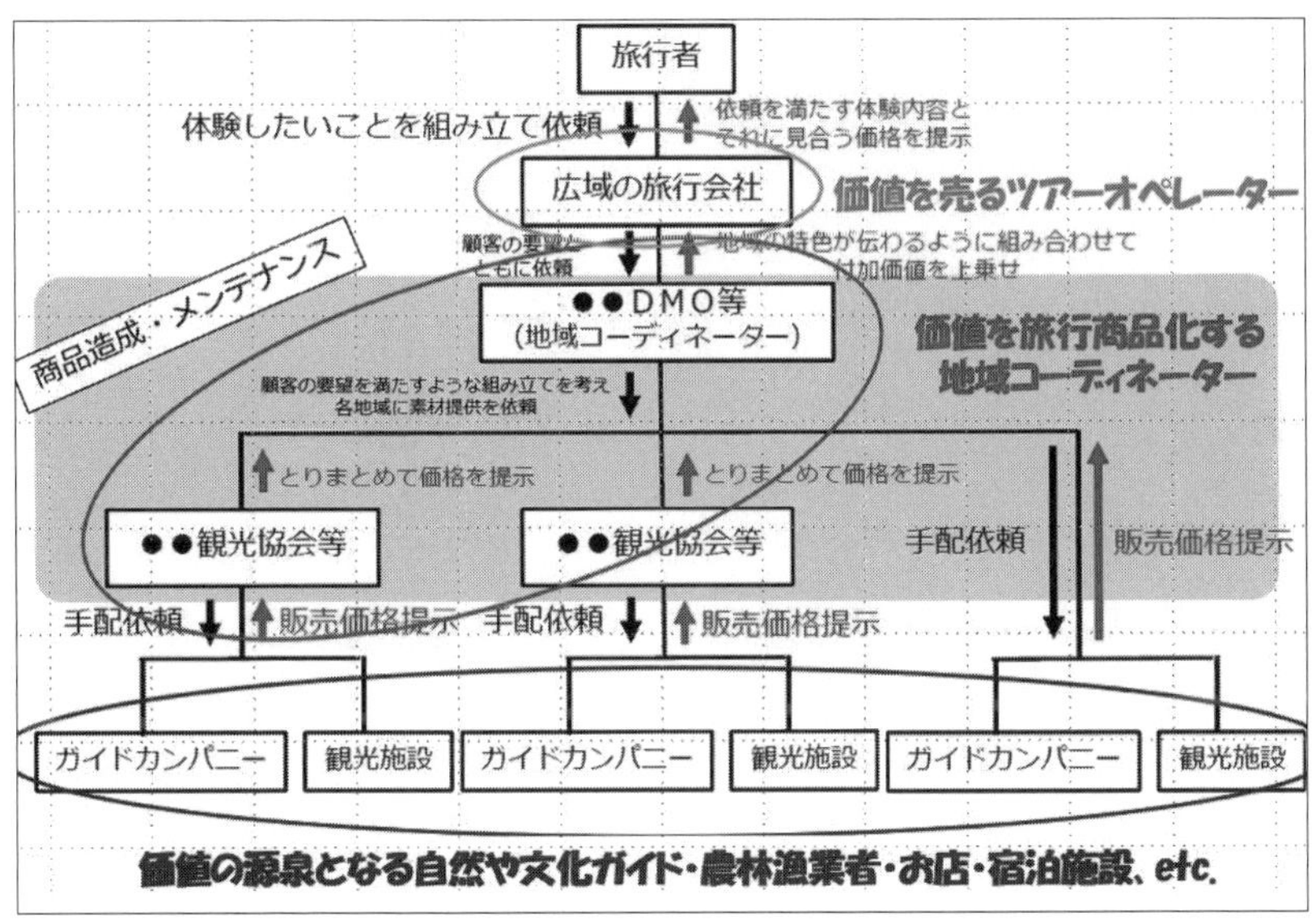

必要な3階層の役割分担（北海道運輸局）

C、観光協会に期待される役割です。対して「ツアーオペレーター」は、より広域で、各地の「地域コーディネーター」が旅行商品として組み立てる地域の価値を、マーケットに対してPR・営業を行って、顧客を実際に獲得して送り込む役割を果たします。全行程に同行するスルーガイドの手配も必要です。全国において、この3階層の役割分担を早くカタチにしていかなければなりません。

　これからは1億円を稼ぐのに『1万円のお客様に1万人』来ていただくよりも、『100万円のお客様に100人』来ていただきましょう。そうなれば旅行関係者の技術が磨かれると同時に、現在低すぎる観光関連就業者の報酬を高くすることができ、地域の「おすそわけ」と「おもてなし」のサービスがさらに厚くなります。

顧客満足度が上がってリピーター化することでＣＲＭが可能になり、オーバーツーリズムを回避できて環境にも優しい。わが国が、いつまでも誇り高く、世界中から憧れられる最高の観光目的地であり続けるために、今こそ日本の観光業界にイノベーションを起こさなければなりません。

北海道宝島旅行社のノウハウ・システムを提供します

「地域の地域による地域のための観光振興」こそが、地域の素晴らしい宝物を高付加価値の商品として販売することを可能にし、持続可能なわが国の観光地域づくりを進めるための方策だと思います。それは地域に住んで地域に根差している地域の人にしかできません！　全国各地で肚を決めて頑張る方々が相互連携することで、より質の高いインバウンド観光客の日本滞在期間をより長くして、多くの外貨を稼ぎましょう。付加価値をより高くして、観光地域づくりの仕事を若者の憧れの仕事に、高収入の仕事に、地域になくてはならない仕事にしていきましょう。そのために、これまで16年間かけて作り上げてきた私たちのノウハウやシステムを喜んで提供、レンタルさせていただきます。ぜひお声掛けください。

＊各地域のコーディネーターの方々へ
～体験交流型観光プログラムの検索・予約サイトの運営ノウハウ提供・システムのレンタル

〜地域ならではの商品造成ノウハウ提供・運営スタッフの育成支援

＊より広域のツアーオペレーターの方々へ

〜旅程作成から営業管理、顧客管理までのノウハウ提供・トータルシステムのレンタル

〜地域ならではのモデルプラン造成ノウハウ提供・トラベルコンサルタントの育成支援

北海道の価値をカタチに！

起業時から「北海道に外貨を稼いで地域活性化に寄与すること」をパーパスとし、「北海道の価値をカタチに！」というミッションをぶらさずにやってきました。これまで16年間に私たちを支えてくださった多くの方々に感謝し、これからも少しでも北海道の、そしてわが国の観光地域づくりのお役に立てるように、スタッフ一同で力を合わせてますます頑張っていきたいと思います。

第2話

民間事業による地域活性化と官民協業によるまちづくり

～地域活性化をテーマに創業した会社の23年間の蓄積～

石井 丈晴

Ishii Takeharu

石井 丈晴
（いしい たけはる）

Profile

1997年慶應義塾大学卒業後、株式会社リクルート入社。関西人事に配属。その後、東京へ配転、人事部人事Gへ異動。2000年にリクルートを卒業し、地域活性化を事業目的に株式会社フューチャーリンクネットワーク設立。全国各地域157社のパートナー社とともに地域情報流通プラットフォーム“まいぷれ”を運営。このプラットフォームを基盤に、地域情報流通事業、官民協業事業などを展開。愚直に事業を続け、創業22年目の2021年、東証マザーズ（現 東証グロース市場）に上場。現在に至る。経営哲学は「利益がなければ生きられない、理念がなければ生きる価値がない」

株式会社フューチャーリンクネットワーク 代表取締役

元気な地域と、元気ではない地域の違いは何か？

仕事柄、「活性化している地域と、していない地域の違いは何か？」「元気な〝まち〟とはどんな〝まち〟か？」とよく質問されます。

私はその時に必ず「その〝まち〟にどれくらい多様性があるかどうかの違いです」と答えます。これは、地域活性化を事業として取り組むべく、２０００年に起業して以降、いろいろな街を見てきましたが、確信を持っています。

その〝まち〟にある、建物の多様性、人（年齢・職業・所得）の多様性、産業の多様性、これがあればあるほど活性化し元気である一方、画一的であればあるほど元気ではなかったり、仮に一時的に元気に見えても、その後緩やかに（時に急に）衰退するような、持続性のない〝まち〟であったりすることがほとんどです。

古い建物と新しい建物が混在し、ビルもあれば戸建てもある。商店もあればオフィスや工場、大学などの学校も近くにある。古い雑居ビルには飲食店もあり、築年数の古い戸建てもあれば、最近分譲されたマンションも、また賃貸物件もある。このような〝まち〟は一見雑然としていて〝きれいな街並み〟には見えないことが多いですが、いつもまちに人がいて、おそらく10年後も20年後も人がいる〝まち〟になります。持続性のある〝まち〟には必ずコミュニティが育ちます。

多様性があることで、人も産業も新陳代謝が生まれ、それが持続性につながります。古い雑居ビルは、その賃料の安さと適度な狭さから、新しく店舗を開店したいと考える若き起業家のインキュベーションになったり、若き店長による魅力的な個店が生まれたり、それがまた街の魅力として人を惹きつけます。決して整然とした都市開発や区画整理の結果生まれるものではありません。

逆の例で言えば、例えば、郊外のニュータウン。多くの場合、それまで何もなかった土地を切り開き、電気や水道、道路などのインフラを整備し大規模な宅地開発が行われ、多くの住戸が分譲されます。販売価格もおおよそのレンジに収まることが多いこともあり、同じような所得、同じような年齢、同じような家族構成の住人が集まります。若い〝まち〟に子どもが賑わう様子は一見活性化した〝まち〟に見えなくもありません。お祭りや地域イベントなどのコミュニティも、若い親世代の頑張りもあり、次々に生まれます。それまで野山だったその地域に子どもが一気に増えるので、少子化の今にあっても、小学校を新設するケースすらあります。近くに商業モールもできて、（主にチェーン系の）おしゃれなカフェやショップなどがこぞって出店します。

その後、そのニュータウンの子どもは歳を重ね、中学生にボリュームゾーンが推移、さらに高校になると地域外へも選択肢が広がります。さすがにこの時代にあって地域に高校を新設することは滅多にありませんが、その頃には10年ほど前に新設した小学校に余裕が出始めます。

そして30年後。ニュータウンの住人のボリュームゾーンは還暦へ。建物の仕様も寿命もほぼ同じなので、住人の入れ替えもあまり起きません。小学校は完全に教室が余剰し、近くの小学校と統廃合が検討され始めます。以前は盛り上がった地域のお祭りも、参加者もなく、担い手も引き継ぎ手がおらず、消滅していきます。商業モールも、営業を続けていたとしても、おそらくテナントが入らない空きスペースばかりの状態になっていることでしょう。多様性のない〝まち〟の一時的な盛り上がりが、いかに短命で終わるか。このような持続性のない、〝活性化しない〟まちづくりが高度経済成長期からずっと行われてきましたし、今なお繰り返しているのが実情です。

持続的かつ発展的な地域とは、多様性があるかどうか、これが全てだと考えています。

ちなみに、ジェイン・ジェイコブズの著書『アメリカ大都市の死と生』でも、都市の多様性の魅力について述べられています。同著は都市計画の視点からのアプローチですが、1961年の時点で近代的都市計画に警鐘を鳴らしているのは興味深いです。

多様性＝地域活性化を民間事業で実現する

私は、地域活性化をビジネスの形で実現させたいと、大好きだったリクルートを卒業（というより中退）し、２０００年に株式会社フューチャーリンクネットワークを創業しました。

皆様からは「地域活性化？それは営利企業ではなくてＮＰＯでやった方が良いのでは？」等々たくさんのご助言をいただきましたが、社会課題の解決こそ株式会社でやるべきで、利益を上げてそれを再投資に回してこそ持続的な社会課題解決だとこだわって、以後23年間愚直に事業に取り組んで来ました。

当時はインターネット黎明期。「世界の情報がお茶の間で手に入る時代が来る」「家でショッピングや仕事ができるようになる」と、夢のようなこと（そして今では全て実現したこと）が語られ始めていた時代でした。同時に、この頃からチェーン店が一気に増え、あらゆる業態の全国チェーン化が進んだ時期でもありました。同じくこの頃、クーポンを活用したマーケティングが流行り始め、リクルートでも生活情報誌「サンロクマル（３６０°）」から転じて「ホットペッパー」が創刊、クーポンが集客に大きく影響を与えるようになりました。

インターネットの普及、チェーン店の拡大、クーポンマーケティングの流行、この3つは強い因果関係があったと私は見ています。インターネットの普及により、値段等の検索が容易になり、クーポンマーケティングがより定着し価格競争が激しくなることで、どうしても規模の経済性が働くチェーン店が優位になり、独立店・個店は全国的に苦戦を強いられるようになった、と考えています。

全国のどこに旅行に行っても、どこに出張に行っても、同じお店から、安心と低価格で食事やサービスが受けられる。確かにこれも価値ですが、これだけで本当に良いのだろうか？みんながみんな、画一的な方向にいって、これで本当に楽しいのだろうか？価格の安さだけではない付加価値、多様性も画一性と同じかそれ以上の価値があるのではないか？

折しも、その頃から、人口動態的にこれから少子高齢化時代がやってくると言われ始めていました（あまりその頃は深刻に捉えられていませんでしたが）。ただでさえ人口のパイが減るのに、低価格化と画一化に進んでいったら、日本経済が縮小均衡に向かうだけなのではないか？

ビールが100円安いお店で飲むことは安くてお得という価値があるけれども、むしろビールが100円高いけれども他にはない味わいのお店、東京から遠いけどそこでしか体験できない価値、普段は煩わしいけれども、いざという時には心強い地域コミュニティの存在など、画一性でもたらされる安さ、便利さではない、多様性によってもたらされる付加価値こそ、もっとクローズアップされる必要があるのではないか？

こう考えて、「地域の付加価値情報を流通させることで、持続的かつ発展的な地域社会モデルを創出する」ことを事業理念に、当社を創業しました。

事業内容の詳細な説明はここでは省きますが、簡単に説明しますと、「価格ではない価値、付加価値を発掘し、多様性ある付加価値情報を配信するプラットフォームの運営」を、「各地域の運営パートナー社と共同運営」し、「そのプラットフォームを使い、官民協業事業の形で自治体を支援」しているのが当社の事業です。このプラットフォームに「まいぷれ」と名付け、創業以来、この事業を愚直に続けてきております。いずれ少子高齢化で先行する日本で蓄積した、「持続的かつ発展的なまちづくり」のノウハウを、これから少子高齢化が進む他国に提供する所が現時点での目標地点です。

持続的で、多様性を活かした官民連携事業

本書は、官民連携の事例共有がテーマですので、このような事業を行っている当社の官民連携事業の事例について、いくつかご紹介いたします。

1　地域共通ポイント事業によるまちづくり（大阪府枚方市）

『ひらかたポイント（通称：ひらポ）』は枚方市が実施し、当社が運営事務局を務める地域ポイント制度で、枚方市在住・在勤・在学の方を対象に、2019年1月15日より運営を開始しています。健康・長寿・子育てをテーマとして、検診・各種教室等の市の事業への参加、さらに、協力店での買い物や飲

食の会計でポイントがたまり、さらにその貯めたポイントは協力店での会計で使えるほか、京阪バスポイントにも交換が可能です。

地域限定ポイントは、いわゆる大手企業が発行しているポイントと違い、全国で使えるわけでも、ネットショッピングで使えるわけでもありません。地域での食事や買い物のみで利用することができます。市の事業の推進のために市が発行したポイント原資は、市内の事業者に対する商工振興につながり、まちの活性化に貢献していきます。さらには最終的には税収として戻ってくることも期待されます。地域でしか貯められず、地域でしか使えないことで、付加価値が循環していきます。協力店は発行されるポイントの使い先になるという加盟店のメリットがもちろん大きいのですが、ひらかたポイントを活用して、協力店も集客ツールとしてポイントを積極的に活用してくれるような提案もしており、さらに地域循環が加速していきます。

この地域通貨に似た概念は以前からあり、チャレンジした地域もたくさんありますが、持続的に運営されているところはごくわずかです。そもそも告知不足で参加者が少ない、高価なシステムは導入したが運営が停止している、参画している事業者が少なく、使える場所がほとんど無いなど、立ち上げたものの継続できていないケースがほとんどです。このようなまちづくり事業は持続してこそ意味がありま す。

このひらかたポイントは、市内の参画店舗が４７０店舗を超え、登録者は６万人を超えています。なぜここまで発展することができたのでしょうか？

それは、前述の当社の地域情報流通プラットフォーム「まいぷれ枚方市」の事業基盤を活用しているからです。地域を回る体制があり、地域の事業者とのつながりが既にある体制を使っての事業だからこそ、持続的な事業展開が可能です。おそらくこの地域共通ポイント事業単体での継続運営は、体制面、コスト面等で非常に難しいです。官民連携の本質はそこにあると思っています。事業予算の全てを行政からの予算に頼り「受託」するだけでは、継続的かつ発展的事業はできません。採算が取れた事業があり、その事業の体制やノウハウを活用して行政と連携するからこそ、全ての予算を行政に頼ることなく持続的な「まちづくり」ができるものと考えております。

2 地域の魅力を発信する「ご当地ギフト」事業

当社は、前述にてご紹介している「まいぷれ」の運営体制を活用し、自治体のふるさと納税支援を行っております。ふるさと納税を開始するに当たって必要な業務を当社が引き受けることで、単なる寄付集めではなく、地域の魅力を発信し、農業をはじめとする地域の産業振興につなげ、シティープロモーションにつなげていく業務です。魅力的なふるさと納税の返礼品を開拓すべく地域を回り、魅力的な商品を生産者と共に開発し、その魅力を各社が運営するふるさと納税寄付サイト等で発信をしていく。寄付された後の事務作業も引き受け、発送から寄付者の対応まで引き受けています。これはまいぷれ事業を運営しているからこそ、深いところまで地域を知り、生産者に寄り添い、一緒に作り上げていくことができるのです。単なる寄付集めになりがちなふるさと納税制度の中で、当社のスタンスをご評価いただいた多数の自治体から本業務を受託させていただいております。

このふるさと納税ＢＰＯ業務は今後も引き続き広げていくのですが、ふるさと納税の仕組みに頼らない形で、このような地域の産品を通じて地域の魅力を知ってもらう方法はないか？そういった思いのもと、この生産者とのネットワークや物流のノウハウを活用し、「まいぷれのご当地ギフト」を始めました。これは特定地域の産品に限定したカタログギフト事業です。例えば「千葉県のギフト」は、千葉の産品のみを集めたカタログギフトです。千葉県のカップルのご結婚の際の引き出物に、千葉県の企業のお歳暮お中元に、千葉にお越しになったときのお土産になど、「地域愛」を意識したカタログギフトとなっています。カタログギフト市場は非常に大きな市場です。このご当地ギフトが広がっていくことで、今住んでいる人も、あるいは故郷から離れた人も、地域を感じる、あるいは感じてもらえる良いきっかけになるのと同時に、生産者にとってはより多くの人に地域と産品の魅力を知ってもらうよい契機になると思っています。

まちの中心に、人の賑わいを取り戻す

まちが元気であり続けるためには、「密度」が重要だと考えています。人が一定以上、かつ持続的に集積してこそコミュニティが生まれ、サービスが成立します。ところが昨今、空き家問題に代表されるようにまちの密度が薄くなっています。従来のまちの中心地点で人が減っているのに、それまで森林や田畑だったところを開発し、電気や水道、道路などのインフラを作り、新しいまち（ニュータウン）をいまだに作り続けています。一方で、従来のまちから人が減り、密度が低下し、スポンジ化していきます。その結果、商店等のサービスが成り立ちにくくなり、加速度的に衰退しているのです。少子高齢化で廃校が続出しているにも関わらず、また別の場所で新しい学校も作られているという焼き畑農業的な「まちづくり」になってしまっています。

人口が減る中で、我々の居住地域の面積自体が減ることは受け止めなければならないと思っております。ですが、中心地点（まち）には人が集まり続け、密度が保たれて、コミュニティは持続的に発展していく。これが少子高齢化の中でも発展し続ける〝まち〟のあり方だと思います。

そのための一つのキーポイントとして廃校の活用があります。学校はいうまでもなくまちの中心機能の一つです。場所的にも学区という言葉があるように、地域の中心地点にあることが多いです。その場所が使われなくなり、廃墟になるのはまさに密度の視点からだけでなく、地域の防災拠点、お祭りの場

千葉県富津市　旧金谷小学校

所、週末の各種サークルの活動場所という点でもコミュニティに大打撃です。これをなんとかしたい。グランピング等の観光拠点として地域外から人を呼びこむ拠点として活用するのも素晴らしいですが、できることならば地域の人達が集い活用する場所にしていきたい。郊外のショッピングモールから、まちの中心に人を呼び込むことはできないか？そういった思いで当社では廃校活用の取り組みを始めています。この取り組みのポイントである「地域の人達の活動拠点にどのようにしていくか？」という点については明確な答えはまだ無く、模索が続いておりますが、少子高齢化の中での「まちづくり」にとても重要なキーになっていくと思っております。

一人の起業家として、東京一極集中への挑戦

2021年に東証グロース市場に上場させていただきました。もっと、より大きく地域活性化を実現

できるようになるためにはどうしたらよいか、当社自身がより持続的かつ発展的なコミュニティであり続けるためにはどうしたら良いか、あらゆる角度で考えた結果、上場という道を選びました。地域活性化が事業テーマであることもそうですが、本社が東京ではない、千葉県に本社を置く企業の上場ということもあり、とても珍しがられました。わずか東京から数十キロしか離れていないのに、千葉で上場する会社は年間2~3社、それだけ東京一極集中している日本の現状に直面した瞬間でもありました。確かに、千葉県内で創業後、会社の成長に合わせて「いつ都内に本社移転するの?」とよく聞かれたものです。千葉で創業自体珍しがられましたが、大きくなったら、あるいはより大きくなるためには、いずれは東京に移転する、というのが概念として染み付いているようです。

アメリカでベンチャーを多数輩出したシリコンバレーは、ニューヨークでもロスアンゼルスでもない、サンフランシスコ近郊、50キロほどのエリアです。もちろん、国の仕組みの違いはあるにせよ、地域間で多様性があるアメリカと、東京一極集中が進む日本の違いが顕著です。

ここまで育った千葉への恩返しの意味もあるのですが、私としては当社の事業とはまた違ったアプローチで、一人の起業家として地域間の多様性を創出し、日本全体を大きく活性化したい。そんな思いから、千葉から実力ある起業家を多数輩出する「一般社団法人千葉イノベーションベース(CIB)」の設立から活動をさせていただいています。この組織は、従来の地域の企業団体とは異なり、高い成長を目指すことをコミットした起業家のための組織です。人口的にも市場的にも、比較的恵まれている千葉ですら起業家を生み出すことができなければ、東京一極集中の流れを変えることができません。この千葉イノベーションベースで、私自身も更なる成長のために切磋琢磨しながら、全国各地域からスタートアップが次々と生まれ、成長していく日本になるための一つとして、千葉を起業家輩出地域にしていきたいと思っております。

まちづくりに不可欠な、利益と理念

私なりの「まちづくり」の取り組みを紹介させてもらいました。地域活性をテーマに創業し、「それはビジネスではなくボランティアでやるべきテーマではないか？」と言われながらも事業を続け、上場という形でパブリックな会社になりました。上場に当たっても、当社のような社会性の強いテーマの会社は、高い利益を要求される上場には不向きなのではないかとも言われたのですが、社会に価値ある事業だからこそ利益を上げるべきだし、多くの株主に参加いただくべきだと私は考えました。当社では「利益がなければ生きられない、理念がなければ生きる価値がない」というマインドセットが浸透しています。利益と理念は相反するものではなく、ともに欠かせないものです。これからの日本にとって、まちづくりをはじめとする社会性のあるテーマの事業に取り組む起業家がたくさん現れることは不可欠です。今後、数々の社会課題解決型ベンチャー起業が次々に生まれていくためにも、私自身、当社自身が理念を堅持しつつ、かつ大きく成長していかなければならないと考えています。

私はまだやりたいことがたくさんあり、当社はまだ道半ばです。この後、少子高齢化先進国である日本のアドバンテージを活かし、「少子高齢化の中での、持続的な地域社会モデル」を、これから少子高齢化を迎える海外に輸出していきたいと思っております。まちづくりの方法を海外のまちに伝える。悲観的になりがちな昨今の日本においてこれは素晴らしい挑戦だと思っておりますし、何より様々な「まち」同士が直接つながることで、世界平和にもつながります。必ずや実現させて見せたいと思います。

乞うご期待！

第3話

ライフワークをプレゼントされた富山県での協働

～女性活躍専門コンサルタントとしての参画～

藤村 優香理

Fujimura Yukari

藤村 優香理
（ふじむら ゆかり）

Profile

1986年株式会社リクルート入社、RCS、INS、JON事業部に在籍後、HRD部門に異動、1999年末に卒業。一貫して「人財」・「採用」・「教育・育成」と企業と人のベストマッチング、地域コミュニケーションの活性化を仕事（志事）と人生のテーマに置き、今日に至る。リクルートで培った人材事業のノウハウ・スキル、知識、実績を活かしながら、課題解決型・「展職」と自らを命名し、企業や組織の中におけるパフォーマンスコンサルタントとしての位置づけで、使命感を抱き、役割を全うしてきた。
現在、富山県知事政策局働き方改革・女性活躍推進室 富山県女性活躍専門コンサルタントとして任命されている他、奥村組土木興業株式会社 経営本部 総務部 エグゼクティブマネジャー、株式会社らいふホールディングス 顧問、スラッシュ株式会社顧問 などを兼任。

行政との協働のきっかけ

私が最初に行政との協働を意識したのは、2003年末でした。新聞広告で長野県の特定任期付き公務員を一般募集しているのを見て、さっそくに、と応募したのが始まりです。卒業した筑波大学では多くの友人が教師として、あるいは公務員として活躍していました。ですから行政のお仕事というものは、割と身近な存在でしたし、非常に関心がありました。よって行政機関の中での組織の風土や働き方を実際に知る事ができる、体感できるチャンスだと感じて「気楽」に応募いたしました。かなりの倍率の中でしたが、当時の首長である田中康夫知事が、大変に奇抜な方でしたから、私を選んだのでしょう。妙に組織になじむことなく、カオスを醸し出す人材として私を判断し、採用されたのではないでしょうか。長野県では県内の小諸市の総務部参事も兼任し、「島崎藤村ゆかりの地」のご縁で、「ふじむらゆかりの地」だと自己推薦し、町おこし事業にも参画いたしました。その後、2011年から2013年にかけては、某企業の正社員の立場で指定管理者として、市区町村の施設をプロポーザルで獲得し、政令指定都市である横浜市と、東京都港区の施設館長として施設運営の計画や、イベント開催の実施を行って参りました。

現在の富山県との協働は、2021年に地方で働く事を推進する募集サイトで見つけました。私が就職した1986年度は男女雇用機会均等法が施行された一年目でした。よって「そのつもりで社会人」として走り続けてきた私には、女性活躍推進に関わる仕事は非常に関心が高く、今回は、「心して」応募を決めました。この富山県の取り組みは、コロナ禍の中における時代感覚の変化を上手に取り入れた仕組みだと考えています。地域と都会をリモートで繋げる事が可能になったのですから画期的な取り組みだと感じております。富山県では、自らが率先し、リモート就業と女性活躍を推進していくために、今回の取り組みを導入されたようです。富山県の募集もなかなかの倍率ではありましたが、私のユニークなプロフィールに、県職員の方が関心を抱いた様子でした。特にリクルートの仕事を通じて、その後も様々な企業内の人々と組織に関わっていた点が、富山県の女性活躍推進の事業目的と合致していると判断されたものと予想しています。リクルート入社後、途中ボストンへの2年間の留学期間を除き、今年、還暦を迎える女性がずっと働き続けている、複数の企業や業務委託を重ねながら、という人物はそうそう現れるものではありません。私をかなり奇特な存在だと感じられたのではないか、と自身では認識しています。

富山県の女性活躍推進の事業には、2021年度、2022年度、そして2023年度も、継続して参画しております。毎年度、事業の内容は進化しています。その成果は首長である新田八朗知事が、「民間企業の経営者」だった事によるものだと私は考えています。

2021年度の富山県女性活躍推進事業での活動

保守王国と言われる富山県では、私が特定任期付き公務員として奉職した長野県と比較すると、モデラートに改革を推進しようとする新田知事の強い意志が伝わります。そして富山県職員が、首長の意志を好意的に受け止め、取り組んでいこうとする「合意形成」が感じられます。例えば国の省庁から女性の副知事を招聘し、知事政策局長も若い前向きな官僚を呼んでいます。これは保守王国ならではの、職員や県民に対する首長の配慮ではないでしょうか。また、知事は民間経営者出身の強みを活かし、中途採用職員の採用も強化しています。多くの民間企業出身者が「仲間」として採用されているのです。職員はお互いの「違い」を理解しつつ、許容しながら、確実に改革を進めていこうとする姿勢が明確です。また組織の風土は（古い庁舎とは正反対で）明るい雰囲気でした。一緒に協働していたこれまでのどこの行政機関よりも、仕事が進めやすく、私の活用の仕方がお上手です。

まさに、私にライフワークをプレゼントしてくれたという心情です。

富山県内の多くの企業の経営者や、担当者の皆様と率直に話し合えたことは多くの学びがあり、大変光栄な機会でもありました。

富山県ではこれまでも、県主催の「煌めく女性リーダー塾」の開催など多くの事業を実施していました。それに加えて新田知事と知事政策局の職員たちは、民間企業の様々な環境や背景、風土や文化などを体験し、理解した上で、実際にもっと企業入り込んで、具体的なアドバイスや活動などを伴走する必要があると考えたようです。民間出身の知事だからこそ、県職員だけでの事業には限界があると気付かれたのだと思います。

２０２１年度の女性活躍推進の事業では、既に女性活躍推進活動を取り組まれている先進事例ともいえる企業をウェブミーティングで訪問し、道半ばでの課題に感じていることやお悩みをヒアリングし、事例としてホームページに掲載する記事を執筆いたしました。その中で、私はある製造業の企業では、製造している製品が市場でどのような形であるかを知るために、製品を置いているナショナルチェーンに観察に行きました。するとその企業の製品はアンコンシャスバイアスが働いているせいなのか、男の子は水色、女の子はピンクという製品を売り出していました。競合他社の製品はジェンダーフリーを意識して、赤や緑や青、白など製品の色の構成が非常にバラエティーに富んだものでした。そのことを経営者や人事のご担当者に感想としてお伝えすると「その視点での議論は社内で出ていなかった。外からの視点でのアドバイスを前向きにとらえて議論を社内で巻き起こしていく」と仰ってくださいました。外から世の中のマーケットではジェンダーフリーを考慮した製品が多々生産されており、消費者から選択してもらうためにも、女性の視点が標榜されることによって、自社製品が企業ブランドとして確立するものであると、経営者や人事担当者は認識を新たにしてくださいました。また、ある銀行の取材では、男性

座談会

会場参加者が2チームに別れて意見交換を行いました。

横田副知事は両方のテーブルを回りました。

A チーム

参加者

男性にはあっさり対応されることが多いですよね。私は「女性はこんな風に感じる、エモーショナルな人種なんですよ」と説明しています。「問題解決型脳」の方には、淡々と話せば理解してもらえますね。

横田副知事

仕事上、わかってもらえなくて傷ついたり、嫌われたんじゃないかと感じることもあると思います。でも、仕組みさえわかってしまえば「**人格を否定されている訳じゃないんだ**」と気付けますよね。

あとは、誰からも好かれようと思わないことはやっぱり大事なのかな。性別に関係なく**意見の違いはあるし、その人が好き、嫌いとは切り離して考えないといけない**ので、割り切りは必要だと感じています。

参加者

私は本当に女性脳だと思います。リーダーなのに、みんなの話を聞いて「**あれもいいね、それもいいね**」と思ったり、「この人はこう思うんじゃないかな？」とためらったり…そこをご相談したくて。

参加者

私もリーダーとして常に問題解決する場面があるのですが、「この人は家に家族がいるな」など**相手に迷惑かを考えてしまい、即座に判断できません**…。

上司からの厳しい言い方は、今後割り切って落ち込まないようにしたいと思いました！

私も組織の中での立場が上がってくるにつれて、徐々に学んでいきました。**上司からの言葉、そして部下からの評価をどう受け止めるかは、それぞれの立場で違った悩み。**皆さんには、それも自分の経験にして大きくなっていただきたい。どんどん自己実現していってほしいです。

B チーム

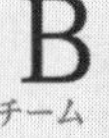

参加者

大企業は女性活躍などの教育がトップダウンで降りてきますが、中小企業では自分たちで勉強しようとしてもハードルが高かったり、同じ企業の仲間としかコミュニケーションが取れなかったりと、**色々な視点から話をする機会があまりない**のが残念です。

横田副知事

商工会などに女性が少ないのは私も気にしています…。**女性が普通にいる状態を早く作らないといけない**ですね。女性同士の集まりや、女性起業家をお呼びする企画もいいですが、**男女関係なく意見交換をしていくのが普通**という状態が理想的だと思います。県としても後押ししていきたいです。

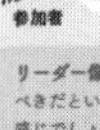

参加者

職場でほぼ初の女性管理職になってしまい、プレッシャーを感じています。モデルになる人が少なく、「かっこいいリーダー」を自分の中で妄想してしまって。

リーダー像は男性でも本当に人それぞれで、こうあるべきだというのはないです。自分で徐々に形作っていく感じでしょうか。**三国志の項羽と劉邦は対照的**で、項羽は格好良くて個人としての能力も高かった人で、劉邦はむしろ部下が支えなきゃと思うような人だったとのこと。ぜひ**自分なりのリーダー像**を模索していきましょう。

参加者

信頼している男性の上司が、あるとき「お前、店長できるからやってみろよ」と提案してくれたんです。**第三者が冷静に能力を見てくれた**ので、チャレンジしてみようかなと思えました。やってみるとできたし、楽しくて。

女性が管理職として伸びるかどうかは「**応援されているかどうか**」にかかっているように思います。女性に管理職を打診したとき、「自信がない、家庭を大事にしたい」などで断られても「無理ですかね〜」と言わずに、「**応援します、一緒にやってみましょうよ！**」という風に関わると、職場が変わると思います！

富山県 女性活躍推進コンサルタント
藤村 優香理さん

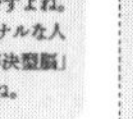

Aチーム ファシリテーターから一言

OECDが行った「国際成人力調査」で、日本の男女は、読解力と数的思考力の習熟度で参加国第1位の成績を収めています。いわば世界一の教育水準にある日本が、高い仕事力を備えた女性に十分な活躍機会を設けず、むしろ男性との格差をつけていることは、女性活躍に関心があるか否かを超えて、大きな経済的損失であることが分かります。一緒に頑張（がんば）りましょう！

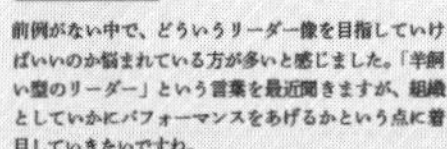

Bチーム ファシリテーターから一言

前例がない中で、どういうリーダー像を目指していけばいいのか悩まれている方が多いと感じました。「羊飼い型のリーダー」という言葉を最近聞きますが、組織としていかにパフォーマンスをあげるかという点に着目していきたいですね。

小さなチャレンジでもいいので、ここから一歩踏み出そう、と思っていただけたのではないでしょうか。

富山県 女性活躍推進コンサルタント
永合 由美子さん

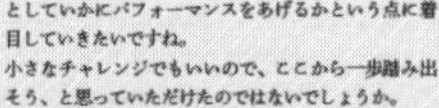

富山の女性の皆さん、一緒にがんばりましょう

女性活躍を考える上で、女性と男性のコミュニケーションがうまくいかないことが残念だと感じており、今回の催しは私にとって恩恵でした。内容を周りにも伝えていただき、チームとしてうまく仕事ができる一助になれば本当に嬉しいです。

富山県は、女性管理職の割合が低いのが大きな課題です。私自身も色々な仕事を経験していく中で、チームをまとめる機会を得て、できることが増えて仕事が楽しくなってきました。自分のがんばりがチームの成長や組織の業績につながっていくと、これ以上の喜びはありません。

新しい知識とコミュニケーションスキルでひと皮もふた皮もむけたら、それ自体が喜びですし、さらに生きやすさ・過ごしやすさにもつながっていきます。女性のみなさん、ぜひ先頭に立って、富山を引っ張っていただきたいと思います！

富山県 副知事 横田 美香

富山県「煌めく女性リーダー塾」座談会の様子
（2021年10月21日）

社員の育児休暇の取得例を伺いました。取得した本人ともウェブミーティングでインタビューでき、また彼が取得するために店長のご苦労と奔走も知る事ができました。加えて来店されるお客様の声として「男性の育児休暇を推進する御行の姿勢に深く共感した」というものがあったことを聞かされ、涙が出そうな感動もいたしました。極めつけの体験は、県内で創業し活躍しているシステム開発企業でした。この企業では働き方改革推進室長（女性）とベースの部分で、私と同じ姿勢があることに感銘しました。私も室長も、女性が活躍するだけが焦点ではなく、男性の働き方も変化してほしいと考えていました。2人とも在籍する従業員の一人ひとりが輝き、世の中に貢献し、優秀な人材輩出できる企業であるべきとも考えていました。私はこの室長に対して、リクルートの社是、「自ら機会を創

り出し　機会によって自らを変えよ」のＤＮＡを強く感じたのでした。すると、ミーティングの最後に「実は私の父は、リクルートに在籍していました」と打ち明けてくださったのです。なんと！その方のお父様は私の恩師ともいえる方でした。本当に人生は深い縁の不思議な出逢いだとも実感し、震えた瞬間でした。

（実は後から知ったことですが、顧問先の株式会社らいふホールディングスの熊谷社長は富山県のご出身で、富山県知事政策局の局長とは前職が同じ職場でした。更にはもう一つの顧問先、奥村組土木興業株式会社の奥村副社長は、富山県知事になる前の新田氏とお仕事をご一緒された経験があったそうです。どこでどうご縁が繋がるのか、出逢いは不思議に満ちています）

加えて、２０２１年10月には「煌めく女性リーダー塾」を開催。県内の女性リーダー職の方々がリアルに集い、富山県が誇る女性副知事横田美香氏と私に加えて、もう１人の女性活躍専門コンサルタントが参加し、トークイベントにおいてはファシリテーターを務めました。

2022年度の進化した女性活躍推進の活動

２０２２年度は前年度の状況を踏まえ、中小零細の企業で女性活躍の制度や環境を整えたいが、何から手を付けていけばいいのか判らないという企業に伴走する事業でした。一社当り6時間のウェブミーティングやリアルミーティングで課題を解決していくのが私のお仕事でした。私が担当したのは5社。それぞれの企業のカルチャーや環境を理解した上で、方針を決めてアドバイス、課題の成果確認を行います。この取り組みは前年度の事業より、一層企業の中に入り、社員と共に協働する醍醐味のある事業でした。ある中堅のシステム開発企業では、経営トップはかなり本気で女性の管理職を登用する覚悟でキックオフミーティングに参加されました。一方で同席する人事の担当者や各事業の責任者は経営者の「本気度」とはかけ離れた温度差でした。まさに経営者の独り相撲で、他の方は「人事はひとごと」というノリでしたが、私が一喝させていただきました。経営者の思いを叶えるのが幹部の役割だと進言し、そこからプロジェクトを組んで、何をやるべきかを議論する方向となりました。県の職員は「藤村さんの踏み込み方は、公務員の立場では難しい」と感想を述べてくださいました。その後一般社員からプロジェクトメンバーを公募し、会社全体としてのムーブメントにしないかと提言しましたが、まだ幹部社員は「誰も応募しないのでは？」と疑心暗鬼を拭えない状態でした。そんな尻込みをしている場合ではないと、ここでも私は強く公募を推進するようにお願いしました。そして座長である経営者が全社員に自分の思いを直接、社内ウェブ掲示板で伝え、公募を行ったところ、なんと9名の女性立候補者が現れたのです。私も経営者もこの時は感動もひとしおでした。立候補者の中には、初めての女性技術者として入社し、初めて産休・育休を取得し、「私の後に続く後輩社員のために、何かしたいと立候補した」という方がいらっしゃいました。この方の存在がプロジェクトのメンバーを熱く突き動かしたのです。

そこから、この企業のプロジェクトはぐんと成長しました。この女性は東京勤務でしたから、県の事業の枠外で（6時間の制限を超えて）この方の上長と本人に東京でも面接を実施しました。彼らが本気になっているなら、私も労を惜しまない気持ちになりましたから。新しく加わってくださった彼女のモヤモヤした思いなども共有しました。この方のリーダーシップのおかげで、プロジェクト活動は社内で定着するところにまで発展しました。「藤村さんがコンサルとしてかかわってくれたことに感謝します」とプロジェクトメンバーのお一人に伝えられ、県の職員からも「民間経験者ならではの相手の懐への入り方」だと仰っていただき、その喜びは非常に大きなものでした。

この企業のように、ある程度環境や人材が整っている企業ばかりではありません。このシステム開発企業の場合はガントチャートなども仕事の中で作成していたので、プロジェクトを進める力がありますが、そうではない企業には別のアプローチを試みました。あるベンチャー企業では、女性リーダー職候補者のメンターとして活動しました。別のベンチャー企業では人事担当者として経験の浅い管理職の男性に、女性社員からのヒアリングに必要な研修資料をお渡しし、実際にロールプレイにも付き合いました。また非破壊検査を経営する企業では、女性の経営者2名と5年後の組織図を作り上げました。売り上げとともに、どの様なタイミングで採用や研修、また高齢化が迫る社内の状況をどのようにカバーしていくのか、どんな準備が必要かなども話し合いました。女性経営者と共に経営に関する議論ができた事で、私もお二人の女性経営者から学ぶ部分が多く、非常にやり甲斐がありました。加えて、同席した県の職員の方は、「毎回学びがあるし、定期的に異動する公務員の仕事ではなかなか得られ難い専門性があると感じている」と感想を述べていただいています。

担当した企業の皆さんとは、2023年1月に富山県に出張し、全員の方々とリアルにお会いできました。これらの機会は非常に貴重な体験でした。コロナ禍でなければリモートでの協働なんて富山県も思い切って振り切れなかったのではないでしょうか。そして、私としてはこの機会に巡り会えなければ、一生関わることのなかった富山県内の企業や人々と邂逅できた喜び、それは何ものにも代えがたいものでした。1社6時間の制限のある中で、どの企業においても、ゴールまで見届けるところまでは行きませんでした。しかし担当した各社は課題が整理でき、手を付けていく順番などが明確になったように感じられ、微力ながら貢献できたと認識しています。

2023年度の事業ではさらに進化し、富山県内で就業する「個人の相談」も受けていく方向性が加わってきます。毎年どんどん事業として深化もしていくことが期待され、本年度も楽しみにしています。

行政と協働するときに大切なポイント

私のこれまでの経験を通じて、行政と協働する際に重要なことをまとめてみました。

①首長のマニュフェストと政治的バックボーンを知る
②行政職員の方々の個性を理解し、その職員の方を活かそうと振る舞う
③地域の人々の風習や思考、志向、嗜好、指向を理解する試行を重ね、至高を目指す

①に関しては、長野県では首長からの期待は、「異質」であることが望まれました。一方で、富山県での私の存在はまさに「協働」を望まれています。自分の立ち位置がどこにあるかで「協働」の成果は異なるものです。長野県では「若者、よそ者、バカモノが組織を変える」と知事は公言されていましたから、私はまさにそれに当てはまる存在として振る舞いました。正直、浮いた存在でした。そんな中でも、一生懸命に取り組めば、仲間になってくれた職員も確かにいました。しかし、多くの職員は私をキワモノ扱いと言っても過言では無い状態でした。

②を強く意識するようになったのは、苦戦する私を見て、長野県で共感して動いてくれた仲間ができた時でした。一方で、富山県では女性活躍推進以外の事業でも民間と連携する事業が満載です。民間企業の経営者だった新田知事は、官民の強みを相乗効果で活用しようと本気でお考えになられています。例えば、私は他の顧問先で、新卒採用のアドバイスをしています。ですから大学訪問を頻繁に行っています。ある時ばったりとある大学で富山県職員と出会うことがありました。民間出身の富山県職員が「富

山県でのUターンIターン就職」を「営業」しているのです。一般的には公務員の方は「営業」が苦手、と私は思っていましたが、民間企業出身者の県職員が、自分のプロフィールを語れば、よりUターンIターンの就職や転職を実感として伝えられます。新田知事ご自身が、②を実践し活用されているのだと心強く感じた瞬間でした。

③に関してですが、これは政令指定都市の横浜市の施設の館長をしていた時の失敗から学びました。設置目的に沿って利用ルールを変更しようとした際に、かなり痛い思いをしました。その施設の利用者が一部に偏っていたのですが、利用者への理解が私には足りず、単に強引な変更だとしか伝わらなかったのです。私には施設に集う人々の背景が見えていませんでした。この失敗を活かし、東京都港区の施設に関しては、私の本籍地でもあり馴染みがある施設を選びプロポーザルしました。また利用者や区民や区内本社の企業などとの連携をスムーズに行うよう細心の注意を払い、心掛けて行動しました。

今回の富山県での事業を引き受けるにあたり、過去には一度しか訪れたことしかない私ですから、徹底的に富山県に関してデータを集め、調査を行いました。女性の就業率が高いが、女性管理者比率は低いとか、共働きが多いが故にお惣菜の購入率が高い、持ち家率が高いのでピアノの保有率も高いとか。富山県の事業では、多くの富山県の企業の経営者や従業員の方と接しますから、この程度の調査ではまだまだ足りないのです。しかしラ・ポール、きっかけにはなり、私自身が相手に近寄る努力を示すことで、皆さんの本音や考えを引き出すことができたようには思えます。

また、これまで③に関しての失敗の多い私でしたから、わからないことは率直に尋ねるようにしました。その土地に生まれ育ち住んだ人々にしかわからないことはたくさんあります。また一言で「女性活躍推進」と言っても人それぞれに活躍のイメージは違うものです。事実、管理者の数だけで女性活躍推進を測るべきものではありません。女性自身でさえも「女性活躍」といわれると、なんだかモヤモヤ感が残るものです。そんな状況の中ですから、なおさら相手に本音を語ってもらう必要性があります。できるだけ③を増強する努力を続けています。

加えて、政府が掲げる一律の目標も地域性を考慮する必要がある事も認識いたしました。富山県内では圧倒的に製造業が多く、製造現場のラインでは正直そう多くの管理者が必要とされていないのが実情です。産業構造そのものが変わらない限り、一律に女性管理者を増産させろと言っても無理がある実情を目の当たりにしました。こうした地域に対する体感して得られたことは、私の人生の中では非常に糧になったものです。

チャンスをつかみ、チャレンジし、チェンジしよう!

冒頭で、長野県の任務の際には「気楽」に応募したと書かせていただいています。

そう、一番強調したいのは、行政との協働にはあらかじめの準備がかなり必要だという事です。重要なことは私がまとめた3つの事だけでは無いかもしれません。本書には多くの教訓やヒント、失敗例などが納まっているでしょう。私の長野県への「気楽」な応募動機や、リクルートパーソンにありがちな(?･)「好奇心」だけではなく、事前準備を怠りなく行い職務を全うしていただきたいという事です。

官民の協働からは、利益集団である組織での活動とはまた異なる、本当の意味でのライフワークを与えてくれるチャンスがあります。とっても素敵な人々と出逢える場でもあります。私の場合、人には言えない数々の失敗を重ねたからこそ、5つ目の富山県との協働では、願っていたライフワークと思えるような「志事」と、そして多くの人々に出逢えました。

第4話

地方発! 世界に伍する『新産業』の創り方

～スタートアップに挑戦する若者が集まる
まちづくりへの挑戦～

井上 葉子
Inoue Youko

井上 葉子
（いのうえ ようこ）

Profile

新卒で株式会社リクルートに入社、MVP、NVP（ニューバリューパフォーマンス賞）受賞。出産育児ディビジョン、ViVACO推進室、eyeco推進室等、ゼロイチで事業を生み、事業責任者として事業運営後、全社ダイバーシティ推進室を立ち上げ、J-Win（NPOジャパン・ウィメンズ・イノベイティブ・ネットワーク）の初代グランプリを受賞。朝日新聞社版「リクルートの女性力」に紹介される。日本企業のダイバーシティ推進には課題の大きな現場の改革が重要と、リーマンショックで経営危機に直面していたトヨタ自動車株式会社へ転職。経営改革プロジェクト（BR2030、次の100年プロジェクト）等を担当。その後、株式会社ニトリホールディングスへ。2032年、3兆円ビジョンから逆算した組織の構造改革を担当。2020年より社会課題解決の起業家として、(1）大学知財を活用したスタートアップエコシステムの構築、(2）地方創生、(3）ベンチャーを含む中小企業支援、をテーマに掲げる。(2）において、2019年長野市『長期戦略2040』戦略マネージャーに着任、2022年新産業創造推進局の創設と共に、新産業創造マネージャーに就任。国立大学法人東京工業大学では、大学発スタートアップ創出改革に取り組む。

Email:career.design.bank@gmail.com

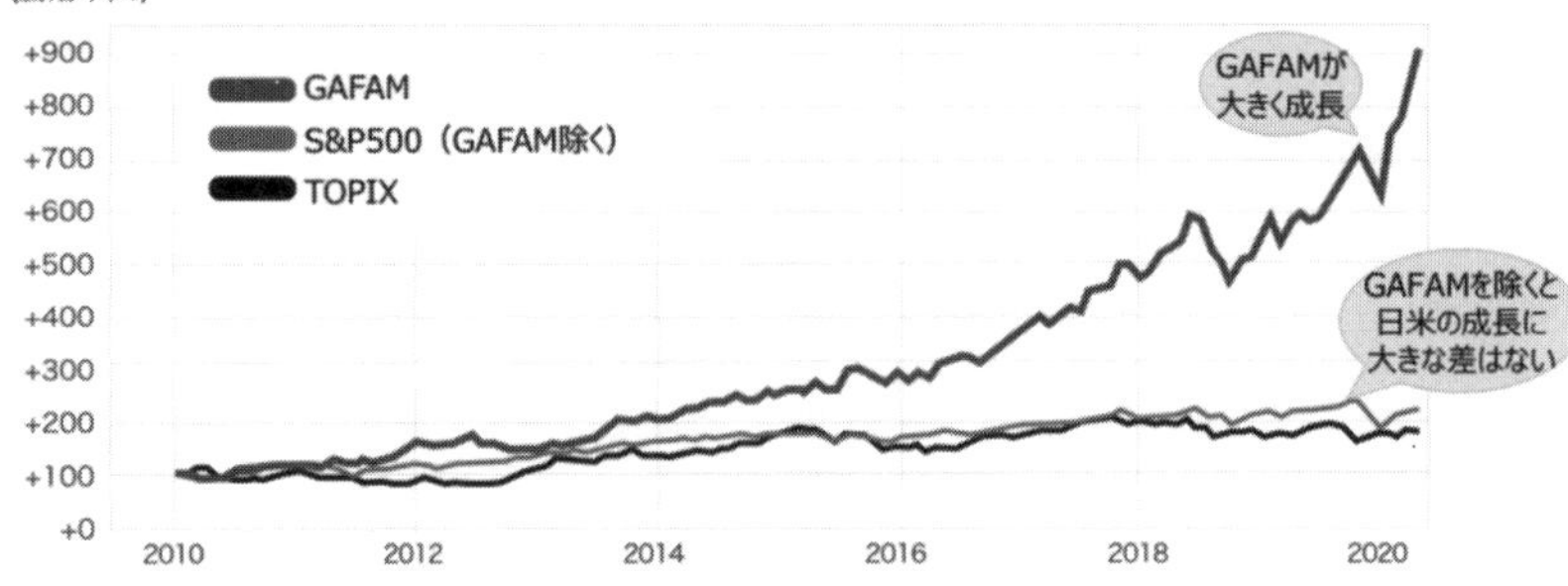

日本（TOPIX）と米国（S&P）における直近10年間の株式市場のパフォーマンスの推移

※2010年1月の各終値を100とおいた場合の騰落率。休場日は前営業日の終値をプロットしている。
出所（S＆P500 指数、GAFAM 時価総額推移、日経平均株価指数データ）

日本全国で、スタートアップ企業創出祭りになっています。確かに、戦後の日本の成長を牽引したのは、地方発の新興企業です。我が国を代表する電機メーカーや自動車メーカーも、戦前から戦後にかけて、20代、30代の若者が創業してその歴史をスタートさせ、その後、日本経済をけん引するグローバル企業となりました。前職のトヨタ自動車も代表の一社です。トヨタ自動車は創業以来受け継がれてきた『豊田綱領』の筆頭に「上下一致、至誠業務に服し、産業報国の実を挙ぐべし」とし、自動車産業を創出し、まちづくりを行ってきました。本部のある愛知県豊田市は、未だ、一人当たりのGDPは全国でトップクラスです。

しかしながら、30年前は世界の時価総額上位20社の過半を占めていた日本企業は、今や一社も20位以内に存在していないことは、周知の事実です。その背景にあるのが、日本に新産業を生み出すスタートアップ企業がなかなか成功しないことによるものです。やっと、政府もスタートアップ元年宣言をし、スタートアップ育成5か年計画を発表しました。これが最後のチャンスかも（？）しれません。

とはいえ、全国バラバラに推進する各行政のスタートアップ創出活動は、限られたリソースの取り合いであり、アセットに余裕のある政令指定都市でさえ、成果をまだ生み出せるまでに至ってはいません。その中で、政令指定都市ではないが、財政の余裕が足元ではある中核市は、危機感が薄く、スタートアップ創出活動は周回遅れの傾向があります。近年やっと着手し始めているところが多いのではないでしょうか。その代表とも言える長野市での取り組みを、『地方版新産業創出の成功事例』にするべくチャレンジをして参りました。まだまだ道半ばではありますが、ご参考になればと、7つのステップでご紹介したいと思います。

STEP1 まずは、庁内職員のマインドセット

2020年、上場企業のサラリーウーマン役員を卒業し、独立を準備していた自分として、取り組みたい分野を、⑴大学知財を活用したスタートアップエコシステムの構築、⑵地方創生、⑶ベンチャーを含む中小企業支援、と決めていました。その最中に、某人材オファーサイトで「市を中長期で変革する長期戦略2040を司る戦略マネージャーを募集！」の公募を目にすることになります。30年以上の社

会人経験でも公募への応募は初めてでしたが、磁気を感じて行動したことが、長野市とのご縁のスタートでした。実は、その応募要項が魅力的で「過去の積み上げ前提の行政では、未来はありません。未来のあるべき姿から逆算し、それに向かう戦略を助言、推進してほしい、民間のノウハウ注入してほしい」というものでした。リクルートで『未解決の課題を解決するゼロイチの経験』、トヨタ自動車で『抱える責任の大きさと規模の不経済のジレンマへの変革の難しさ』、ニトリホールディングスで改めて『ビジョンとロマンの重要性のシャワー』を浴びていた自分としては、何か役立てるのはないかと、思ったのです。

入庁してわかったのは、戦略マネージャー事業を起案した、企画政策部のメンバーは、庁内の反体制勢力との利害関係と戦っての長期戦略2040戦略マネージャー事業でした。

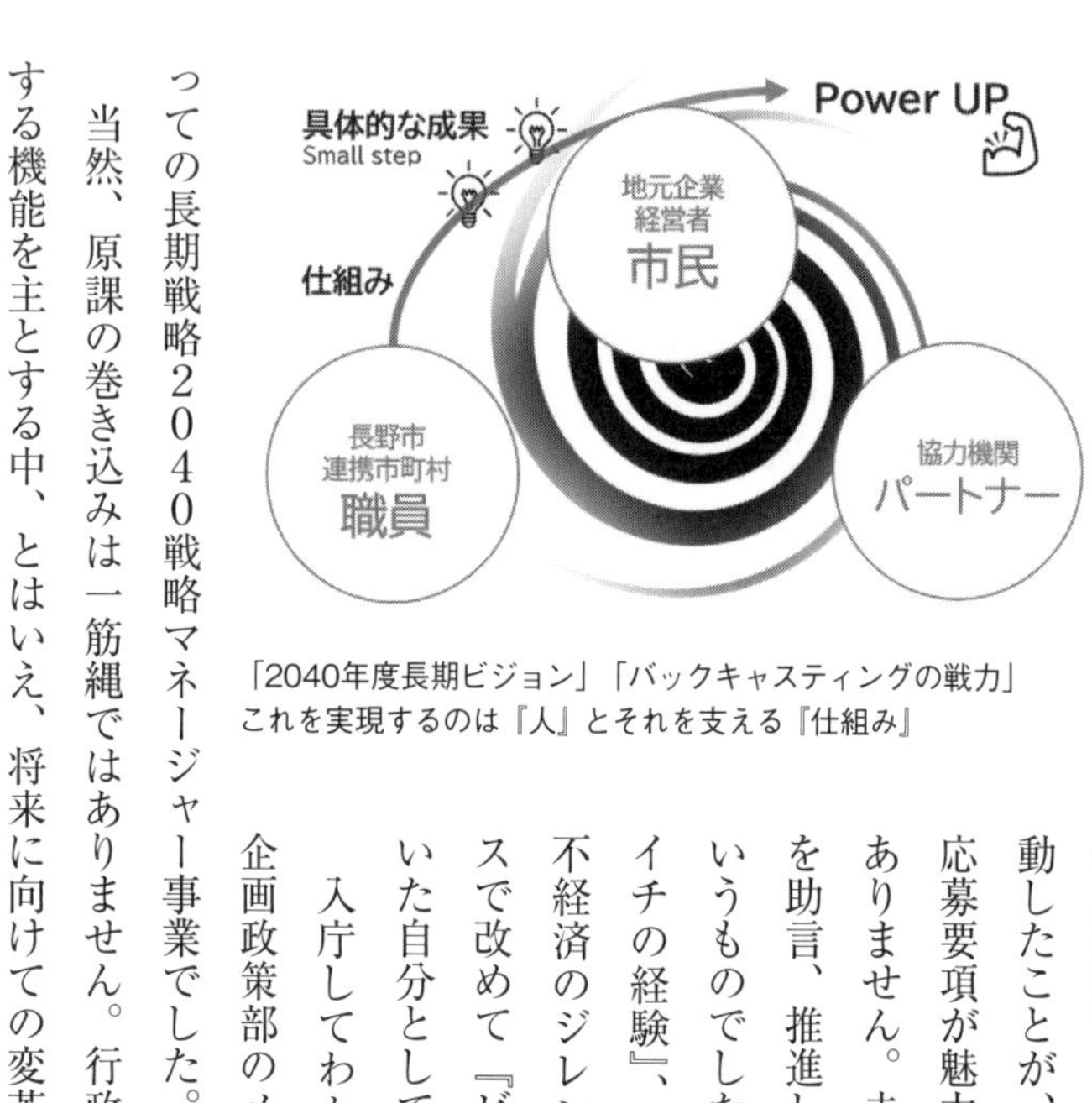

「2040年度長期ビジョン」「バックキャスティングの戦力」
これを実現するのは『人』とそれを支える『仕組み』

当然、原課の巻き込みは一筋縄ではありません。行政の仕事は、間違ってはいけない保守性を絶対とする機能を主とする中、とはいえ、将来に向けての変革も必要であり、いかに並行できるかが自分の役割であることを認識しました。

しかも、新産業創出には2年半の任期では出口には到達しません。そこで、新産業創出を舵取りする主役である庁内職員が、絶対的な当事者意識とそれに向けた自信をいかにつけていただくかを、目標におくことにしました。

STEP2 何のために？志を描く

1年をサイクルに、税金を正しく使う仕組みが行政の仕事の基本です。そのため長野市でも具体的な仕様書と結果検証を単年度で回すことに追われていました。職員の皆さんはとても忙しく、いつしか事業をやることが目的になっていたり、庁内の調整で終始する中、手段が目的化したり、顧客の市民が見えなくなっていたりすることもあるように思われました。ましてや、単年度事業とは、遠い「20年後に向けて」の動きはピンとこないわけです。

インフォーマルな場でお話をお伺いすると、入庁したときは「市民のため、市のため」との高い志があり、今も心の琴線で熱い思いをお持ちになっていることもわかりました。そこで、まず行ったのは、職員の皆さんが心の底から腹落ちする「長期戦略２０４０」のビジョンを設定することでした。民間企業ではビジョン設定やそのためのワークショップは通例ですが、職員の皆様が基点というアプローチが

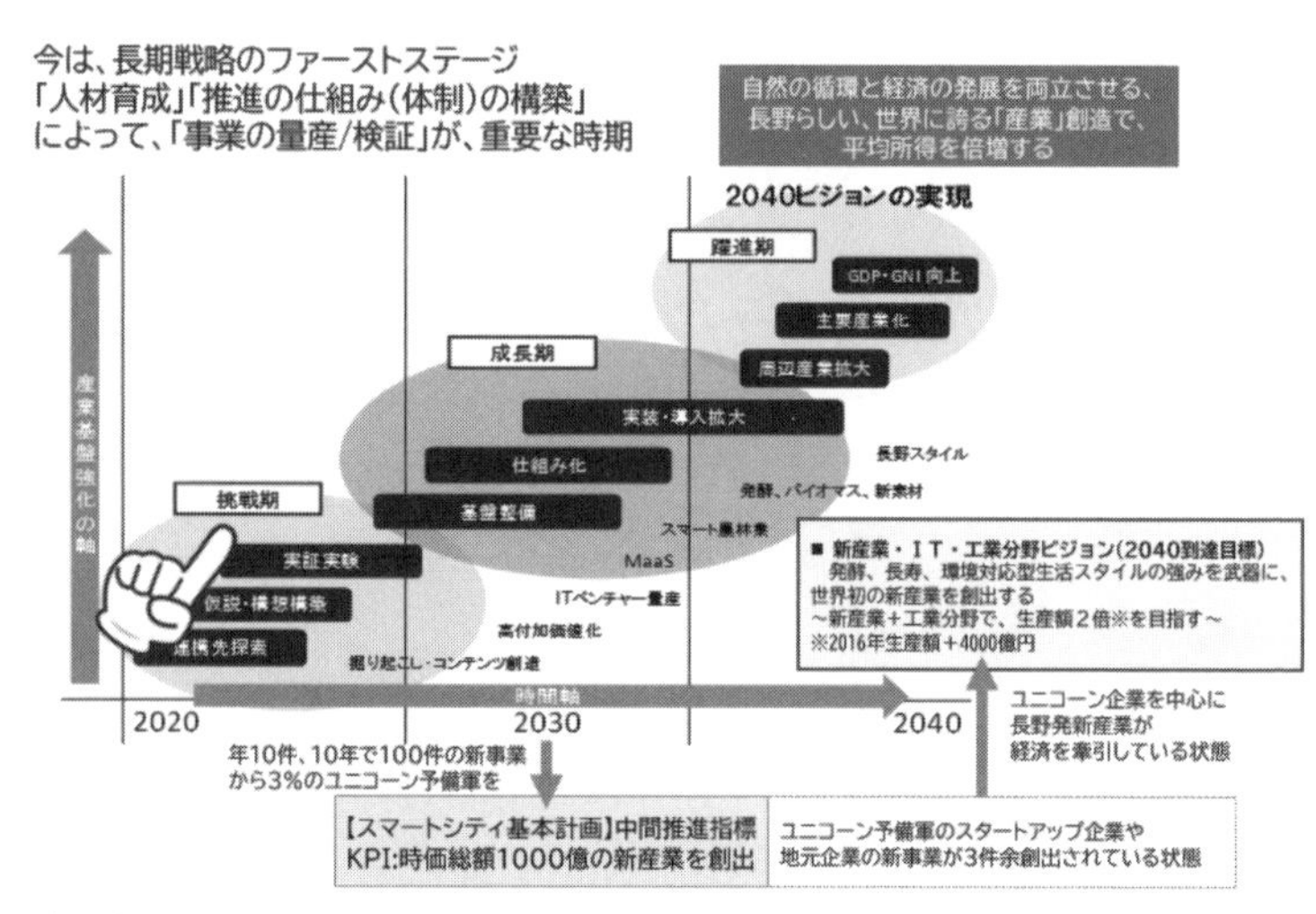

長期戦略 2040 ビジョンと推進シナリオ

重要であると考えました。ビジョンは「心からこうありたいと願う姿」で「数値など具体性を伴う」ものです。それによって、従来業務の仕事のやり方とは異なる、正解の見えない、長期戦略を推進するには欠かせない、担当者のぶれない義憤を持っていただくこと、そして市民の皆さんへも共感いただくためのものです。その後、設定したビジョンを基に、長野市の強味になるアセットを軸に、逆算した長期戦略の概要を策定していきました。

STEP3 新産業創出の仕組みを埋め込む

ビジョンでは「所得倍増」と宣言しましたので(いつぞや内閣が宣言したものの、未だ実現されていませんが、長野市の単位であればチャレンジできます）、ビジョンの実現に向かう肝は『付加価値の高い新たな産業を生み出すこと』であることを特定しました。今までの行政のやり方だけでは、到底実現は叶いません。よって、次に必要なのは、実現させるエンジンとなる仕組みです。グローバル大企業の誘致が成功すれば実現可能かもしれませんが、黒船は優先せず、まずは長野市民のモチベーション向上の基盤となるもの、言い換えると地元企業の発展が可能になるスキームが重要であると考えました。ここでは、地元企業の経営者をハブにした、NAGANO市の特徴的な仕組みを2つご紹介します。

一つは、都心の若者がNAGANO市の経営者と新事業を創出していくプログラム『NAGA KNOCK！』（ナガノック！）事業（県外から起業家の卵の若者を流入）。

もう一つは、アイディアがなくてもスタートアップ企業を設立、スケールアップのための支援が受けられるスタートアップスタジオモデルの長野市版である『NAGANO STARTUP STUDIO』（長野スタートアップスタジオ）事業（地元の若者が起業をあたりまえにチャレンジできる場づくり）です。

両者の共通コンセプトは、

①長野市で行う意味（地元の若手経営者がエンジェルになる）
②誰でもチャレンジでき、安心して、堂々と失敗できる環境づくり
③スモールビジネスではなく、スタートアップを目指す

名前	西口　菜那子			出身地	愛媛県西条市	ビジュアルイメージ
性別	女性	年齢	28歳	居住地	東京都大田区	
家族構成	独身（一人暮らし）			趣味	ランニング、音楽、旅行	
職業	人材派遣会社の営業			休日の過ごし方	読書 旅行（年に1回、親しい友人と海外旅行に行くのが楽しみ） 近所のカフェで仕事	
収入	年収600万円			好きな雑誌やメディア	Casa BRUTUS、TARZAN NATIONAL GEOGRAPHIC 村上春樹の小説	

担当している主な業務	大手企業の新卒採用業務のコンサルティング 採用ページのライティング、採用イベントの運営などが主な業務。 今年から後輩の教育を任されており、特にやりがいを感じて取り組んでいる。	チャレンジしていること	スキルアップと新たな仲間づくりのため、友人の紹介で月に一度、日本在住の外国人のコミュニティに参加している。 ワーキングホリデーに以前から興味があり、行ったことのある友達に話を聞いてみたいと思っている。
悩んでいること	大学卒業後はずっと同じ会社で勤めてきて特段現在の仕事に不満はないが、自分の仕事がどう社会のために役立っているのか、最近はよく分からなくなってきた。仕事に明け暮れているうちにいつの間にか30歳目前になってしまい、周りの友達がどんどん結婚や転職していく中、内心では少しだけ焦りを感じている。	検索(連想)しているキーワード	「キャリアプラン」「海外」「社会貢献」 「人と関わる仕事」「やりがい　仕事」 「東京近郊　癒し」「一人旅」
起業に関するステータス	大学では英文学を専攻しており海外に少なからず興味がある。就職し採用に関わっていく中で、日本での就職を希望している外国人を入国の前段階からトータルでサポートするようなサービスをオンラインでできないかと思い始め、同じようなサービスを展開している企業がないかリサーチを始めたところ。 アイデアはあるものの、まだはっきりとは起業を意識していない段階。		

コア対象者のペルソナ

です。

まずは、プログラム作成。市役所職員の当事者意識が推進力の基礎となるスタートラインです。そのためにプログラム作成には、新規事業創出のノウハウをビルトインして、考えていただくことにしました。コア対象者のペルソナ、カスタマージャーニーの作成から…。どんな状態の誰の課題をどのように解決していくプログラムなのか。インタビューも徹底的に顧客に向き合う作業です。皆さん初めての経験で当初は戸惑っていましたが、いざ自分たちでプランしたプログラムが実際に動き出してして、参加者、参加企業にお誉めの言葉をいただいたことで「今までにない、やりがいと嬉しさを感じた」とのことで、一気に頼もしい推進者になっていかれました。

　次項からは、各プログラムを具体的にご紹介したいと思います。

STEP4
NOT シリコンバレーモデル、BUT NAGANOモデル
『NAGA KNOCK!』

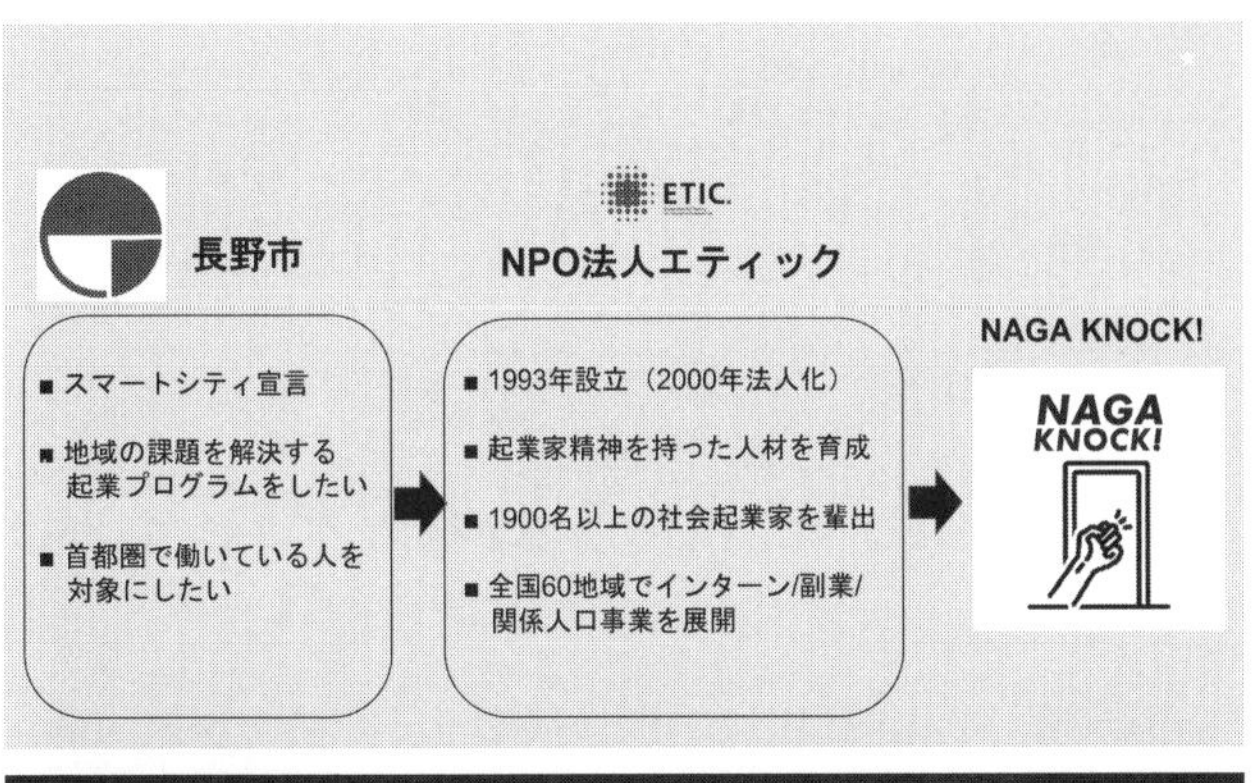

2022年度 NAGA KNOCK!　概要

期間	2022年7月1日～2023年3月11日
エントリー数	77名
参加	人材：14名（平均年齢39.8歳）　企業：12社
実施場所	原則、週1回オンライン会議 月1回は長野市内の各企業に訪問。期間中に現地研修3回。
プログラム参加費	人材：55,000円　※現地訪問旅費交通費　自己負担＜企業負担（事前に取り決め） 企業：人材募集・マッチング・伴走支援等にかかる費用は長野市事業として実施のため初参画の場合は負担なし。
企業と人材の契約	企業⇔人材間で業務委託契約を締結 月額 3-5万円の業務委託料を各企業から人材に支払い
人材の今後	起業予定者：6名　副業継続者：10名（予定）

https://nagakock.etic.or.jp/

まず、先行投入したのが、都心の若者起業家を長野市に呼び込む事業『NAGA　KNOCK！』です。「日本初！経営者の右腕として、副業しながら新規事業に参画し、地域課題を解決する！自身の新規事業の起業準備をする！」プログラムとして、20年間、社会課題解決起業家を生み出してきたNPO法人エティックのご支援を受けながら、スタートさせました。

コロナにより副業・兼業が後

長野市民新聞　2021年(令和3年)6月5日(土)【市政】2

市新規事業に参加を

首都圏の起業希望者を市内へ

長野市は、起業を目指す首都圏在住者らを市内に呼び込むための新規事業「ながの起業家創出プログラムin東京」で、9月にスタートする初年度プログラムの参加者募集を始めた。受け入れに協力する地元企業も併せて募る。地元企業から会社経営ノウハウの提供などを受けながら、5人以上の起業家の創出を目指す。

本年度は起業支援などを行う東京のNPO法人に運営委託し、『NAGA KNOCK!』(ナガノック)と銘打って展開する。参加者は県外の若手を中心に5月31日から募集。6～7月にオンラインでの説明会や勉強会を開いた上で20～30人を選考する。

「防災・減災」「ゼロカーボン(脱炭素化)」など5項目または自由提案から起業テーマを選び、9月上旬から地元企業らの支援で事業計画を策定。投資家らを招いて来年3月に開く提案コンテストで発表し、事業の実現を目指す。

地元企業は10社以上を目標に募り、参加者を仲介する。参加者と業務委託契約を結ぶ。市は「起業家との交流で、組織の活性化や新規事業の展開が期待できる」としている。

同プログラムは、20年後を見据えた市の経済成長ビジョン「長期戦略2040」に基づき、本年度から3年間実施。事業費の一部は信金中央金庫＝東京都＝の寄付金1千万円で賄う。市企画課は「若者がチャンスを求めて大勢集まるような街の魅力を生み出したい」と期待している。

参加者の応募は「ナガノック」のサイトから。地元企業向けには7日午前と15日午後に事前セミナーをオンラインで行う。問企画課(☎224・5010)。

長野市民新聞
2021年6月5日付掲載

押しされたのも相まって、都市の志の高い人材が、日本の課題の縮図である地方の企業に入ってチャレンジしたいと集まりました。そのパワーに外部人材活用未経験の長野市も地元企業も驚きと手ごたえを感じた、と聞いています。

STEP5
NOT シリコンバレーモデル、
BUT NAGANOモデル
『NAGANO STARTUP STUDIO』

全国でスタートアップ創出に、各行政が努力されている昨今、そもそも課題を感じていました。

それは「米国シリコンバレー流の輸入が果たして日本に合うのか」という点と、「スタートアップとスモールビジネスの違いが曖昧になっていないか」という点です。内閣府の「Beyond Limits. Unlock Our Potential～世界に伍するスタートアップ・エコシステム拠点形成戦略〜」にて先行している4拠点は、シリコンバレー型（天才起業家をエンジェルが支援する仕組み）であり、中核市には馴染まず、日本の地方特有の作戦が必要と考えていました。そこで、注目したのが「スタートアップスタジオモデル」※です。これは、地方でスタートアップを創出する仕組みとして、有効であると考えました。

日本でも、ちょうど「スタートアップスタジオ協会」が設立されるタイミングでした。それを機に、『NAGANO STARTUP STUDIO』を協会と連携する形で立ち上げました。行政主催で本モデルを実装するのは、日本初であると聞いています。

『NAGANO STARTUP STUDIO』は、長野市が事業主体となり、運営を長野市の起業家の代表である地元の名手企業の若手経営者に、事業を引き受けていただき、行政が立ち上がりをバックアップする形でスタートしています。コンセプトは「やさしい起業コミュニティ」「困っている誰かを助けることを仕事にして起業したいと思うが、自分ひとりではなかなか進まない、自分の意思を注ぎたい、でもひとりで悩み一歩踏み出せない方の背中を押して、仲間を創る場、一緒に悩み、安心して失敗ができ、それによってさらに成長できる場」です。徹底的に成功モデルノウハウを取り入れ、成功確率を上げていきます。

NSS創業の思い

起業や新規事業開発はとにかく困難の連続です。
まさに千三つの世界。
何回も何回も続く失敗で、一人で続けていると心が折れてしまいそうです。

困難ばかりの起業ですが、それでも挑戦した人だけが見ることができる素晴らしい世界もあります。

「挑戦者だけが見ることができる素晴らしい世界を一緒に見れる仲間を増やしたい」

そんな思いからこのNSSはスタートしました。

・挑戦者が集まり互いに支え合う場所
・失敗経験を共有する場所
・壁打ちで事業アイデアをブラッシュアップしてくれる仲間がいる場所
・起業までに足りないものを与えてくれるエンジェルが集まる場所
・会員同士が暖かく互いの挑戦を讃える場所
・成功するまで起業を楽しむ場所

それが「Nagano Startup Studio」です。

社会課題を解決する、スケールするビジネスを作る、世の中のために役に立ちたい。

そんな挑戦者が集まるコミュニティを長野に一緒に作りませんか。

NAGANO STARTUP STUDIO

NSSは会員同士が資金、人材、ノウハウやネットワークなど、事業開発に必要なリソースを様々なメンバーが支援してくれる起業家支援コミュニティです。

https://nagasta.jp/

※スタートアップスタジオモデル

スタートアップスタジオ＝ハリウッドの会社・事業版。ハリウッドのスタジオには監督・脚本家・演出家・カメラマン・照明・編集など、映画製作に必要なリソースが揃っており、新たな映画製作案が出ると、即座に適切な人材を割り当てて最も効率の良い方法で制作に入る。さらに、ハリウッド映画スタジオの魅力はナレッジを貯蓄していくことにある。年間200本以上もの作品を世に出しているので、売れる作品の傾向を社内で蓄えることができる。内製のリソースを上手く利用し、ナレッジを貯めることで成功確率を上げていくのが、ハリウッド映画スタジオの仕組みである。スタートアップスタジオは、このモデルに非常によく似ている。スタジオ内には経営のプロフェッショナル、プロダクト開発を担うエンジニア、PRや売り方の専門家マーケターなど、新規事業を立ち上げる際のノウハウが詰まっている。そのノウハウを共有して実際に事業を走らせるのが外部からの起業家である。スタジオには事業立ち上げ経験者が揃っているので、事業に合った適切な問題解決方法やスケール方法を実践し、成功確率を上げていくことができる。

※スタートアップスタジオの定義

定義1　スタートアップスタジオとは、同時多発的に複数の企業を立ち上げる組織である。

定義2　スタートアップスタジオとは、起業家やイノベーターが新しいコンセプトを次々に打ち出す上で理想的な場を提供する組織である。

引用元：アッティラ・シゲティ著「STARTUP STUDIO（Japanese Edition）」Kindle Edition.

STEP6
地方版エコシステムの創生

『NAGA KNOCK!』事業（外から起業家の卵の若者の流入）と、『NAGANO START UP STUDIO』事業（地元の若者が起業をあたりまえにチャレンジできる場づくり）は共に、立ち上がったばかりです。行政の職員が絶対的な自分事として強い意思での推進継続と、事業主体である地元企業側は行政に頼らない独立した収益事業にする努力が必要です。事業モデルの確立には、まだまだ未知数です。少なくともぶれずにこだわることができれば、必ず「新産業創造」「ビジョンの実現」を可能にするものと信じております。

さらに、必要と思えるのは、先端テクノロジーの取り込みです。長野市は素晴らしい研究成果を有する信州大学が地元に存在します。文科省も地方大学の存在価値への支援を宣言しています。その流れも活用しつつ、世界に伍する「新産業」が長野市から生まれるポテンシャルを確信する次第です。

しかしながら、基盤が形成されるには民間でも5年から10年はかかります。行政職員は2～4毎に人事異動があります。その前提において、「人が変わると方針が変わる、ノウハウが引き継がれない」ことのないように、ノウハウをため、持続的に新産業を創出する機能を外部に置くことが必要ではないかと考え、準備をしていただくべく働きかけを行っています。

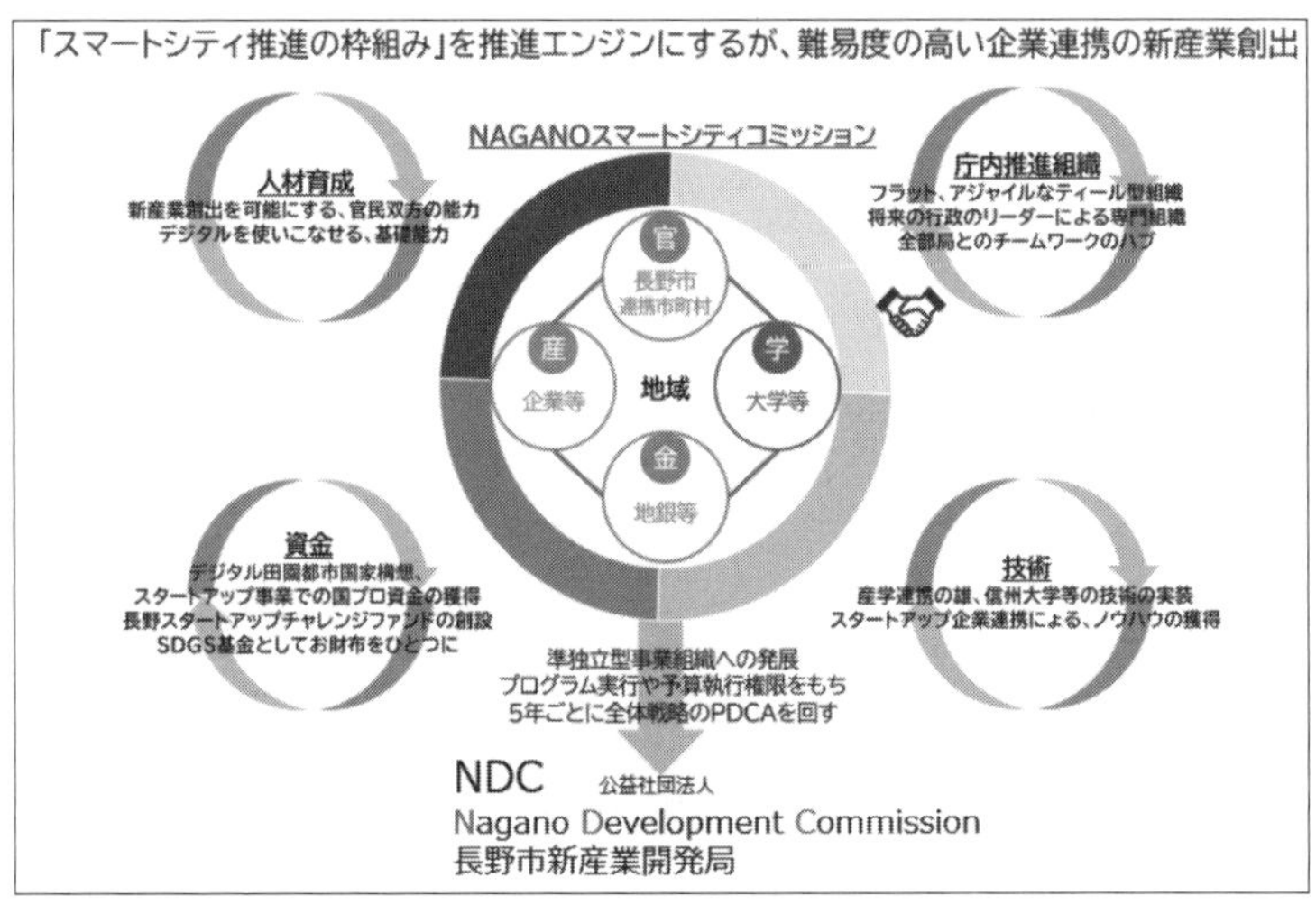

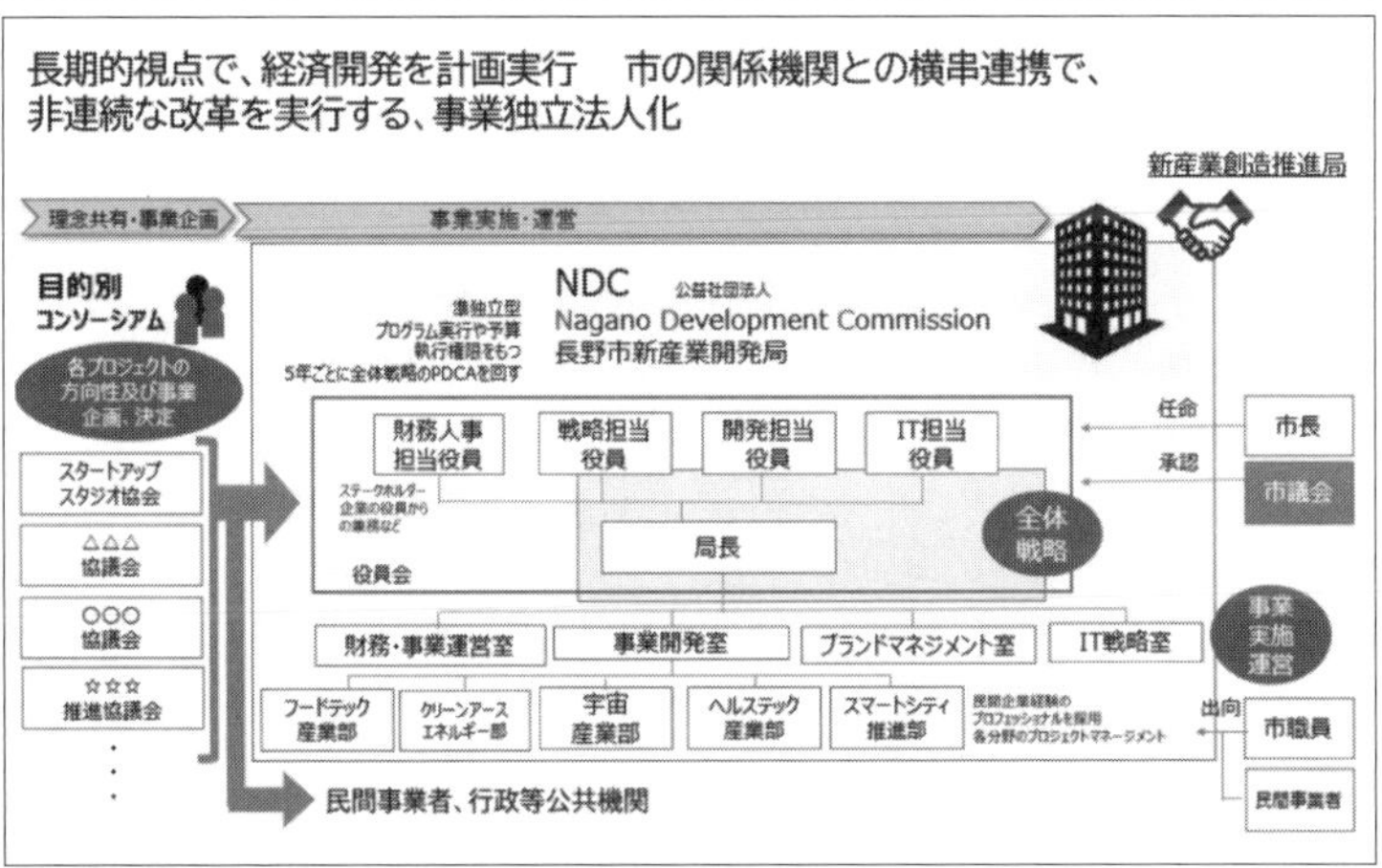

長期戦略 2040　戦略マネージャー報告会から（著者提言資料）

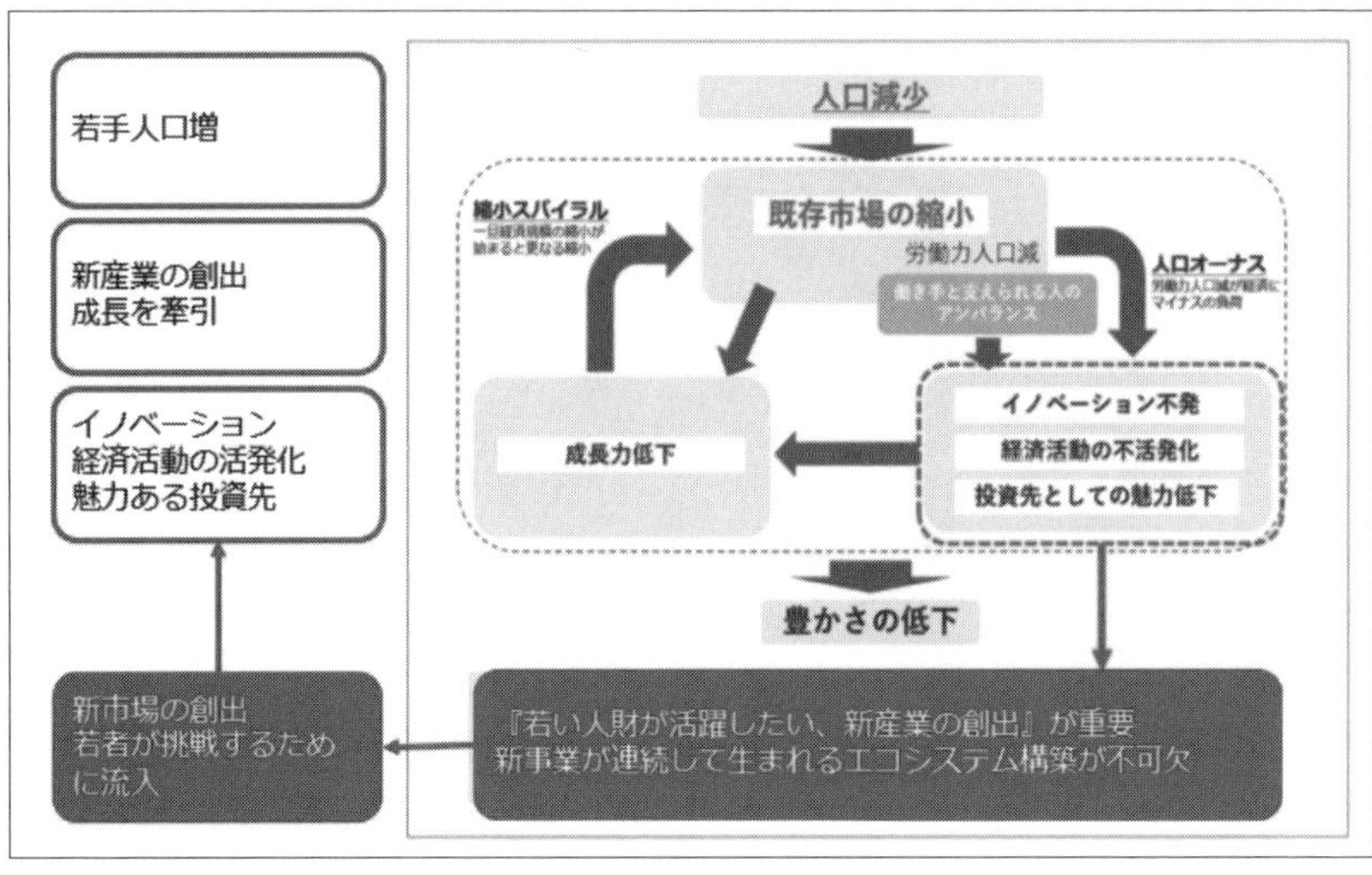

長期戦略 2040　戦略マネージャー報告会から（著者提言資料）

STEP7　未来を変革する若者が集まるまちに

社会を変革してきたのは、10代、20代の若者です。GEを創業したトーマス・エジソンは当時21歳、松下電器工業を創業した松下幸之助は23歳、マイクロソフトを創業したビルゲイツは19歳、アップル創業のスティーブ・ジョブズは21歳です。そして、皆、自身が縁のある土地で創業していま す。

長野市で、若者が「このままでは日本はまずい」という危機感を基に「長野市は若者が新事業をどんどんチャレンジできる場」として認知されるための第一歩をご紹介いたしました。少しでもご参考になれば幸いです。

末筆ではありますが、本取り組みを進めるにおいて、長野市の職員の皆様、事業パートナーでご支援いただいている皆様、この機会に参加されて活躍している皆様、多くの皆様とのご縁に感謝いたします。

第5話

100年越しの村づくり
ー白樺村への挑戦ー

～観光事業者として、地主として、
住民として、地域事業者として、
それぞれの立場からの観光地域づくり～

矢島 義拡
Yajima Yoshihiro

矢島 義拡
（やじま よしひろ）

Profile

1983年長野県白樺湖生まれ。2005年東京大学法学部卒業後、株式会社リクルート入社、リクルートHRM（新宿歌舞伎町エリア）・狭域HR（静岡県東部エリア）で中途・新卒採用領域に従事する。

2007年池の平ホテル＆リゾーツ入社。2011年東日本大震災直後より、株式会社池の平ホテル＆リゾーツ 代表取締役社長。

他、各地域系法人への参画として、株式会社白樺村 代表取締役社長、信州たてしな観光協会 副会長、ちの観光まちづくり推進機構　理事、株式会社8Peaks family 代表取締役社長、株式会社8Peaks Resort 代表取締役

自社の立ち位置　土着型のディベロッパー

私が実家となる白樺湖に戻ってきたのは、25歳の時になります。新卒で入社したリクルートは、思い描いていた以上に魅力的な会社で、熱い上司や先輩に囲まれた中、自分次第で濃い仕事ができる環境を常にいただきました。最初の配属は新宿歌舞伎町。当時正社員の中途採用に特化していたリクナビネクストのお客様になっていただける法人を歌舞伎町の中で見つけるのは、なかなか刺激的な日々。お客様先を見つけるのに躍起になっていた中で、自分と同じように営業先を探している様々な業種の営業マンと知り合い、サービス業に携わる（営業をかける）業種がこんなにもあるのか⁉という驚きと共に、お客様をお互いに紹介したりしながら、魑魅魍魎の世界に触れる機会にもなりました。

その後担当した静岡県東部エリアでは、伊豆や熱海といった観光事業者も担当エリアに。今は再生しているこれらのエリアが、当時は非常に厳しい時期だったかと思います。経営者の皆様が再生を目指しての事業計画を形にしていく採用支援を通じて、目の前で、家業の関係もあって見聞きしていた施設の看板が全国展開の低単価旅館に架け替えられていく過程を目の当たりにしました。所有と経営の分離という経営手法への個人的な憤りを持った原点の一つになりました。

極めて短期間の在籍でいただいた環境以上の貢献が果たせないままの退職は非常に不本意でしたし、今の立場になれば快く退職させてくださった会社や上司には感謝しかありません。家業の事業継承が現実味を帯びる中で、白樺湖に戻り家業に入りました。

弊社は、250室1000名収容の旗艦ホテル「池の平ホテル」や、1967年の開園当時長野県唯一の遊園地である「池の平ファミリーランド」等、白樺高原エリアで複数の宿泊施設や観光施設を経営する会社です。

開拓当時は、農業と酪農が生業だった

戦前戦中、人が住まない山中に農業用のため池として作られた白樺湖は、当時蓼科大池という名前でした。その後、電気もガスも水道も無い中に高冷地での農地開拓団として入植したのが、祖父である矢島三人をはじめとする弊社の創業者たちでした。明日食べていくためにどうするかという環境下、物々交換で何とか食いつないできた彼らが初めて現金を手にしたのが、八ヶ岳連峰の蓼科山への登山者を酪農小屋にお泊めした際の謝礼だったと聞いています。その時の経験から、過酷な寒冷地での農業や酪農を徐々に断念して、1951年に池の平ホテルの前身を開業、重心を観光業にシフトしました。その過程の中、自前で道路整備やバスの定期便誘致、専用水道や自家発電の整備等を行いつつ、観光のイメージを獲得するために白樺湖と名前を変えてセールス・マーケティングを行い、レジャーブームという時代背景に合わせて遊園地やスキー場を開業し、宿舎も山荘から旅館・ホテルへと少しずつ業容を拡大してきたというのが弊社の沿革となります。

そんな沿革を持つ会社のため、定款上は観光業・宿泊業をうたってはいるものの、根本の経営思想や哲学としては土着型のディベロッパーのような視点が色濃い会社だと思っています。民間事業者でありながら地域づくりのど真ん中を担っているという当事者としての立ち位置が、家業の事業を継承したいと思う私自身の強い動機の一つにもなっていたように思います。

ツェルマットでの衝撃

中学生の時に祖父に連れられて訪れた、スイスのツェルマット。その時に感じた衝撃は忘れられません。当時、6000人という村の人口に対して、別荘やコンドミニアムといった長期滞在者向けのベッドが6000ベッド、観光客として訪れる旅行者向けのホテル等がやはり6000ベッド。平均滞在期間が1週間を超え、計画通りに時間を消費するような旅のあり方ではなく、まさに山のバカンスの時間をゆっくりと過ごしている姿は、当時強い憧憬と悔しさを感じました。また、街では、普段上場企業の役員を務めているような別荘滞在者が趣味を兼ねてビアカウンターで楽しそうに接客をしているビアホールに、退勤後のホテルスタッフがゲストとして飲みに訪れ、更には観光で訪れているお客さまと同じテーブルで飲んでいるという、まさにゲストとホストの関係性が混在している光景は、未だに目に焼き付いています。働いている方や住んでいる方から感じる楽しさや誇りをひしひしと感じ、ツェルマットの住民になるためには様々な条件をクリアした上での順番待ちがあると聞き、何て村だ！と幼心に感じた事は、今でも観光業に携わる中での原点となっています。

ツェルマットに於いては、ブルガゲマインデという100年200年単位の長期的なBSの観点から地域をマネジメントしていく地主組織の存在と、ツェルマット観光局というバリバリのマーケティング組織が地域のPLを回していて、二つの組織が両輪で村の基盤になっています。この事は、その後観光に身を置いてから知る事になるのですが、それだけの年月をかけて当事者が存在し続ける価値を理屈ではなく体感させてもらった事は、大きな経験でした。

また、その滞在を通してツェルマットを御案内いただいたのが、観光カリスマとして現在も各地の観光まちづくりを推進されている山田桂一郎さんだった事も、ありがたい御縁でした。家業に戻った2007年頃は、2008年に観光庁が発足し、その前後から各地に「観光地域づくり法人＝DMO」が発足する機運が高まっていた時期でした。当時の全国での「観光地域づくり」に向けた概念や動きを評価する立場にはありませんが、その大枠の考え方としては想像・共感できた事も、逆に組織や手法としての現実感が見えなかった違和感も、今思えば、無意識にツェルマットと相対化していたように思います。そして、その共感と違和感をそれぞれ言語化する過程が、このエリアでの地域づくりで大事にしているキーワードに直結しています。

所有と経営の分離？　～観光事業者の立場からのまちづくり～

観光まちづくりという概念には、「長期的な時間軸」と「最後まで責任を背負える当事者」が不可欠だという信念を個人的に強く持っています。ここ20年の日本の観光まちづくりを私なりにそのレンズを通して見た際に、観光まちづくりの一員として不可欠な観光事業者が直面している「所有と経営の一体化 or 所有と経営の分離」問題は、避けて通れないように見えます。観光事業者としての立場のみを捉えた際に、所有と経営の分離は極めて建設的な経営手法だと思います。スピード感／再現性／市場へのインパクトといった観点でも、既存の建築資産の有効な再活用という観点でも、所有に責任を持ちリターンを希求するオーナーと、事業運営のプロとして収益を上げていく経営を分ける経営手法は、極めて有効な手法な事は間違いありません。一方で、観光まちづくりに対して「最後まで責任を負える当事者」を観光事業者（またはその組織）がど真ん中で担うのであれば、観光としての事業運営が観光まちづくりに直結する場面を重ねていく際に、所有と経営を分離した形態では最終的な当事者としての限界があるのではないかと、個人的には感じています。これは良し悪しではなく、どのような観光まちづくりを誰がしていくのかという価値観の中での選択の問題です。資本主導型のリゾート開発的な観光地域づくりも、地域資産主導型の村づくり的な観光地域づくりも、どちらも価値を産み出していく事には変わりなく、最終的にこれからのお客様のライフスタイルにご支持いただけるあり方の重心がどちらに傾いていくかが大切なのではないでしょうか。

私自身は、前項で触れたように、弊社が民間事業者でありながら地域づくりの当事者ど真ん中を担っているという立ち位置が、家業の事業を継承したいと思うに至った大きな動機でした。もう一つの要因として、祖父から直接事業継承を受けるという長期的な時間軸がありました。弊社が倒産せずに事業を継続できれば、祖父と私の二代で１００年という時間軸での地域づくりに向き合える使命感を感じて仕事ができます。その事に感謝すると同時に、日本にもツェルマットを超えるような村を作っていきたいというのが、１００年越しの村づくりとしての白樺村への思いです。

「地」の力と、地主の使命　～地主の立場からのまちづくり～

前項で触れましたように、白樺湖は、下流部の農地に少しでも温かい水を送るための農業用のため池として造成されました。その造成を担われた財産区が、白樺湖面並びに白樺湖畔の土地を所有・管理し

周辺約4kmの白樺湖の湖畔約1/3を事業地として展開

ています。周辺にある蓼科湖や女神湖も同様に、それぞれの財産区の私有地という位置付けです。白樺湖で言うと、この財産区と弊社のみが地主としての立場・使命を担っていますが、このような地主が組織として中長期的な観点から判断できる仕組みが確立されている事が、持続可能な地域づくりに不可欠ではないかと考えます。

元々財産区という仕組みはその地区の区民による行政運営を行っているという組織背景があり、短期的な利潤だけに偏らない中長期的な資産管理という観点が色濃く、中長期的な運営が行われるという大きなメリットがあります。過去にも、バブル期等に外資や国内大資本によるディベロッパー開発の打診があった際も、それらを受ける事無く自前での地域づくりがされてきたからこそ、バブル崩壊後に一気にエリア全体が廃屋化した地域のようにならず、地の力を蓄え続ける事ができた事は大きな財産です。

一方で、この力が強すぎると、新たな事業者の参画へのハードルが極めて高い地域になってしまうというリスクがあります。最近、エリアのアセットマネジメント事業を行う株式会社白樺村という組織を立ち上げましたが、この組織には、財産区と弊社という地主に加えて、白樺湖の各事業者が参画する形態を取りました。地主が中長期的な観点での判断と責任を負いつつ、事業者が当事者としてエリアのアセットマネジメントに参画し、同時に、新たな事業者の参画を促進する受け入れ体制を整えました。そのような取り組みにより、変えてはならない地の力と時代に応じて変化しなくてはならない収益事業の方向性を一致させていく事が重要だと捉えています。

村民のシビックプライド　～住民の立場からのまちづくり～

私が小学生の頃、白樺湖畔には一学年で10人前後の子ども達が路線バスで30分かけて通学していましたが、長男が同じ小学校に通い始めた時は六学年で3人になっていました。観光地域づくりの大きな課題として、来訪される方にとっては異日常を提供できる自然環境豊かな場所が、そこに住む住民にとっては生活に不便な僻地という捉え方になりかねないという現実的な課題があります。来訪者増↓関係人口増↓住民増という、観光地域づくりの雛形的な捉え方には半分否定的で、それぞれの方にとっての目的は必ずしも一致しないというのが現実です。だからこそ、住民の立場からの観光まちづくりを基点に関係人口を増やし、地の魅力を高め、来訪者が増えていくというあり方も重要だと捉えています。

弊社がフランチャイジーとして運営するローソンは、日本で標高が最も高い所にあるローソンなのですが、5年前からカフェや地域産品の販売を兼ねたリゾートローソンとしての看板を掲げています。車で30分走らないとスーパーも無い立地の中で、コンビニの商品力と流通力を山の上に持ってきていただいている事は、地域住民や関係人口となる別荘の方にとっての生活インフラを確保する事でもあり、同時に、地域住民と観光客が交わるコミュニティの拠点として機能しています。全国の観光地域に、このようなリゾートローソン2号店3号店ができていくと面白いですね。

また、「日本一女性が働きやすい観光地域づくり」をうたった取り組みを行っています。女性活躍をうたう事自体が未成熟な事は重々認識しているのですが、とはいえ、子育てや通学送迎といった日々の生活で女性に負担が偏っているのが各地方の現実ではないかと思います。特に観光事業者は世の中の休日が繁忙期のため、学校や保育園が休みで子どもが家にいる中でお客様をお迎えする事が難しいといった理由で、仕事を制限せざるを得ない方がたくさんいらっしゃいます。そのような課題を当事者同士で解決しようという子育てシェアハウス「山ん家」を、リクルートの同僚でもあった妻が立ち上げました。子育てという未来の当事者を創っていく取り組みに賛同いただき、民間を中心に地域社会全体で支援していく動きが徐々に拡がっていますが、これからの観光まちづくりに不可欠な概念だと思っています。

観光地域づくりの当事者組織は？　DMO／DMC／ギルド型組織

白樺湖が位置する八ヶ岳中信国定公園は、蓼科高原・車山高原・女神湖といった観光地が点在し、広くは清里・諏訪・佐久・上田方面に環八ヶ岳山麓として繋がるエリアです。白樺湖は、茅野市と立科町の行政区画が湖面を横断しており、私も、それぞれのＤＭＯ（ちの観光まちづくり推進機構／信州たてしな観光協会）での活動があります。それぞれ、行政区内に複数の観光地が点在していたため、過去は各観光地毎に観光協会が存在していましたが、それらを包含する組織としてＤＭＯが機能しています。各観光地の取り組みを面的に同じコンセプトで進めていく上でも非常に重要です。特にここ数年の観光庁事業「地域一体となった高付加価値化事業」に於いては、両行政のコンセプト策定から携わり、各観光地間の調整に加えて行政計画との歩調を合わせる合意形成を丁寧に踏んでいきました。この高付加価値化事業は、２０２０年、菅総理就任後初の観光戦略実行推進会議に出席・提言させていただいた際に閣議決定がされた事業でもあり、行政・地域・事業者が一体となって今後の地域を中長期的に価値化していく契機になる事に対しての思い入れもあったため、関わる行政がそれぞれ採択を受けて地域が前に進んでいる事は本当に嬉しいです。このような、特にハード面や広域的なマーケティング・ブランディングの観点で、今後のＤＭＯが果たす役割は、当初求められた役割よりも若干公的な要素に偏っていったとしても、やはり引き続き重要だと思っています。

一方で、あくまで民間の地域事業者として特化した連携組織が主体となって動く事の価値とスピード感こそが、今後のエリアの浮沈を決めるという危機感があります。当地では、株式会社8Peaks familyという法人を設立し、そこには産業も行政も問わない地域事業者達が参画しています。地域の若手のリーダーが旗揚げし、実家がペンション村のウェブマーケティング会社、地域文化芸能の宗主、農産品の直売事業者、飲食・アクティビティ・宿泊事業者、建築事務所、ビール醸造者、製造業、医療従事者、行政マン等々のそれぞれのバックグランドを持った方々が集まる緩やかな組織です。この会社での決め事は、「その法人自体での収益は希求しない」「各プロジェクト毎に当事者になれる事業者が参画」といったところでしょうか。その意味で、DMOとも一線を画す形ではないかと思っており、むしろ中世の地域的なギルドに近いかもしれません。民間事業者が、それぞれの事業に於いて現実的に利益となるプロジェクトに当事者として時間と資金を投資する事を前提としているため、常時、地域として必要とされるリアルな事業がそこに情熱を持つ当事者で進めていける組織体です。この動きを続けてきた事で、特に地域外のそれぞれのプロフェッショナルな方々が、めちゃくちゃ親身に当事者として参画していただいている事が価値だと思っています。地域の飲み会にお誘いできなかった際にその道の名のある方々が拗ねてらっしゃる様子は本当にありがたく、これこそが関係人口の基本なんじゃないかと感じます。このような取り組みを、組織内だけでなく地域や行政と常時共有していく事がとても大事で、それにより実質的な取り組みが行えていると思います。だからこそ、それを司るファシリテーターやフィクサー的な存在が不可欠です。このエリアは、幸運にもそのような方が存在していたからこそ非常に前向きに機能し始めていますが、その存在無くしてこのような組織は機能しないように思います。

地域内の水の循環を体感いただく「THE LAKE RESORT」の象徴「湖天の湯」

THE LAKE RESORT

2023年春、弊社の旗艦ホテルである池の平ホルのパブリックを全面改築し、これまでの客室の改と新客室の新築と併せたグランドオープンを行いました。信州への旅の拠点として、白樺湖のハブとして機能を持ち、白樺村の基点となる施設です。

一つ目のコンセプトは、「THE LAKE RESORT」。このエリアに点在する蓼科湖や女神湖含めて、元々は農業用のため池だった人造湖が半世を超える年月の中で自然と同化してきた過程で育まてきたロケーションは、四季折々の表情を伝える人

池ノ平ホテルのパブリック機能に加え、地域観光のハブ機能を有する新本館

工美と自然美の調和の産物です。穏やかな湖だからこそ、どんな方でも思い思いに過ごせる時間をご提供できる懐の深さがあります。実際に北欧やニュージーランドといった国々では、「ｈｙｇｇｅ」といった言葉に代表されるレイクリゾートの概念があり、湖畔の地価は海岸の地価を優に超えています。残念ながら日本には未だレイクリゾートの概念自体が薄い中、今回、茅野市と立科町との共同宣言として、「レイクリゾート構想」を打ち上げていただきました。その価値観自体を創り上げ、その代名詞となる場であり続けたいというコンセプトです。

二つ目のコンセプトは、「信州五感のショーケース」。これまで述べてきた様々な活動を通して観光地域づくりに携わる中で、当エリアの文化・風土・産業の奥深さを、私自身改めて感じてきました。そこで感じた信州の魅力を五感で感じていただく場を、観光事業者として、地域のショーケースの役割を担えると勝手ながら思っています。

それぞれのコンセプトは、これ迄述べてきた地域づくりと自社の事業が直結すればするほど、より価値のある商品として具現化していけると思っています。コロナ禍が明けるこのタイミングで、これらの価値観を発信していくスタートが切れる機会を創れた事に感謝し、その機会によって、自社も当地も変化し続けていきたいと思います。

第6話

中小企業支援から始める地域おこし

～当事者意識の高い人材が地域産業の流れを変える～

三嶋 竜平
Mishima Ryouhei

三嶋 竜平
（みしま りょうへい）

Profile

2001年早稲田大学卒業後、2社を経て2007年4月に中途採用で株式会社リクルートに入社。住宅カンパニー住宅情報ディビジョン首都圏営業2部に配属され、リーマンショックを跨ぐ7年間、一貫して分譲マンションデベロッパー向けに「住宅情報（現SUUMO）」メディアの営業に従事。2014年からは事業成長期にあったSUUMOカウンター推進室へ異動し、首都圏、東海、関西エリアのマネジャーを経験。2017年からは部長として、北海道・中四国・九州地域24店舗80名の組織マネジメントと、地域内の新規出店検討と人材採用を担う。2020年3月に退職後、学生時代から累計18年過ごした関東から東広島市に転居、2020年4月より東広島ビジネスサポートセンターHi-Biz（ハイビズ）に勤務。同センターは開設からの3年余りで、約750社の中小企業・小規模事業者が利用し、延べ相談件数は5000件を超える。センター長として、Willを持って行動する地域の中小企業・小規模事業者の売上アップのサポート、起業家の支援を行っている。
東広島ビジネスサポートセンターHi-Biz センター長

プロパーではないからこそわかる、リクルートのすごさ

冒頭に、私がどんな社会人人生を歩んできたか、を紹介いたします。私はリクルートにいた13年間、ずっと住宅関連事業（SUUMO）で仕事をしてきました。リクルートには中途入社していますが、それまでに2社経験しています。新卒で入った1社目は、もうすでになくなってしまった国内独立系の経営コンサルティング会社で、ビジネスパーソンとしての基礎となる論理的思考能力や対人感受性を鍛えていただきました。

2社目は東京から故郷愛知県に戻り、自動車関連事業の中小企業に転職しました。今ではその会社もITベンチャーとして上場も果たしましたが、私が入社した当時の組織は自動車販売・整備事業が半数、もう半数が自動車関連のインターネット事業、というようなまさに成長過渡期。この会社で、多少は仕事ができると勘違いしていた自分の鼻をバキッと折られる、苦くも大変貴重な2年ほどを過ごしました。管理職を任せていただいたのに、いざ自分で仕事をマネジメントする立場になると、まるで人を動かせない。そうなるともちろん、仕事は進まないし成果は出せない。どんよりとした停滞感に苛まれていました。

そこで、自分なりに悩んだ結果、もう一度修行しなおそう、と考えて転職したのがリクルートでした。中途採用でリクルートに入社した大学時代の先輩から、「リクルートを考えてみたら？」と言われたことがきっかけで、会社説明会に参加しました。決め手となったのは、住宅情報の営業部で活躍されていた先輩のお話。リクルートはチームで顧客に価値を返す仕事が一番面白いということ、営業はセールスだけじゃなく顧客に価値を返すプロジェクトマネジャーのようなものだ、という言葉が自分の心に刺さり、この会社で成長したいと強烈に感じました。ありがたいことに内定をいただき、営業マン・マネジャー・部長と3階層を経験、更に部署異動や地域間異動など様々なポジションで学ぶことができました。

プロパーではなかったからこそ、リクルートの社風やそこで育まれるスキル・スタンスについて、そして新卒で入社する人たちの驚異的な成長速度について、客観的に評価できていたように感じます。特に顧客や仕事、仲間に向き合うスタンスは本当に大切にされていました。私もマネジャー・部長として人材育成マネジメントに関わりましたが、人材育成にかける時間、なによりも個々の人材に寄せる情熱は、おそらく他社と比較しても圧倒的ではないでしょうか。そこにも、リクルートらしさが表れていると感じています。

当事者意識の高い人材が地域を活性化する

そして、40代に入るタイミングで今の仕事に就きました。東広島市が産業振興政策で税金を投じて開設した、東広島ビジネスサポートセンターＨｉ―Ｂｉｚ（ハイビズ）という公的機関です。そのミッションは、地域の中小企業・小規模事業者の売上をアップすること、起業を志す個人を支援し事業者を誕生させること。そして、それらを通じて雇用を増やし、所得を向上し、地域経済を活性化させるということです。1回あたり1時間ですが、何度でも無料で利用できるサービスで、私は事務所に来所される地域事業者の皆さんのご商売の相談を1日4～6件ほどお受けしています。

1時間という限られた接触の機会から適切に情報収集し、物事の本質を掴んで顧客の課題を特定する、といったところは営業時代に培ったスキルだと思います。また、中小企業の持つ商品やサービスの販売戦略を考えて整理するのに、コミュニケーション・エンジニアリング・フローは大変有効です。また依頼者である市役所や商工会議所の皆さんとの協議においても、それぞれの立場やミッションを理解した上で意見を統合するという場合にも、関連部署と調整しながら仕事を進めるという経験が活かされていると感じます。

そういったスキルが活かされている以上に、自身の持ち味になっているのは、「自ら機会を創り出し、機会によって自らを変えよ』というスピリッツに基づいて行動していること。リクルートで当たり前に育まれる「当事者意識の高さ」が、地域の産業支援やそれを核にした地域おこし事業において最も大切なスタンスであると感じています。今の仕事に就いて3年ほどが経過しました。改めて、リクルート出身の人材の活躍が期待でき、地域おこしの一翼を担える役割だと感じています。

全国各地の自治体が取り組む『ビズモデル』

北は北海道、南は九州まで、各地の自治体が独自に予算編成をして開設する中小企業支援機関、それが『ビズモデル』。富士市において大きな成果を上げた富士市産業支援センターf―Biz（エフビズ）の取り組みをモデルとした公設の支援機関です。『ビズモデル』の各自治体での拠点立ち上げを支援しているのが、エフビズでセンター長を務めていた、中小企業支援家の小出宗昭さんです。小出さんはそれ以前にも静岡市の創業支援施設「SOHOしずおか」や浜松市の「はままつ産業創造センター」で地域産業支援のフロントランナーとして活躍されていました。そして、今現在も各地で中小企業の経営相談や支援機関向けの講演や後進の育成など、多岐にわたって活動を続けておられます。

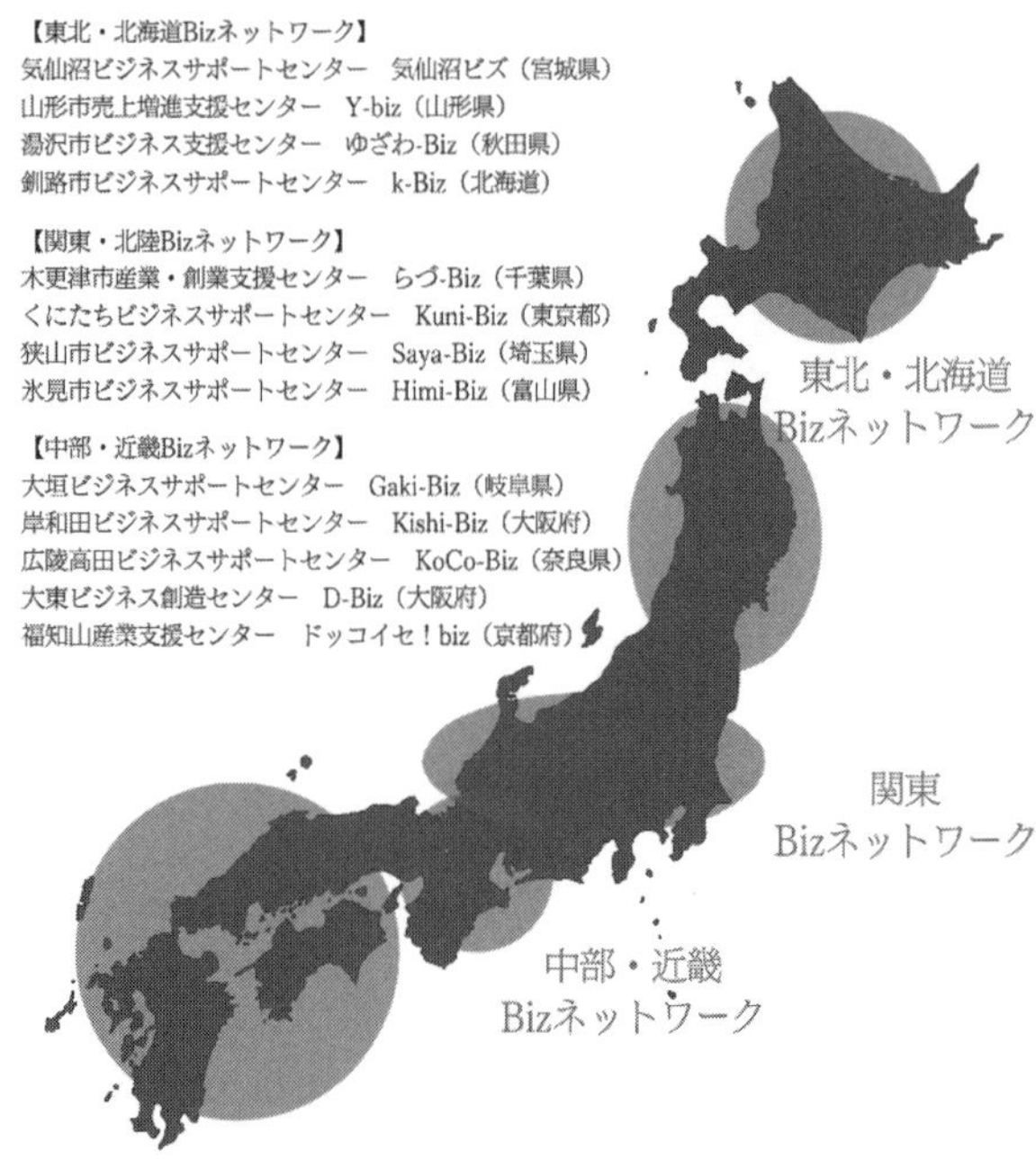

地方自治体が主体となって、全国17カ所にビズモデル型支援拠点が開設されている

従来の公的な中小企業支援機関は、分析や問題点の指摘を行う、または補助金を紹介するという支援が中心でした。多くの場合、問題点は経営者当人も理解していて、「そこからどうすればいいのか？」という解決の方向性がなかなか見いだせないために、売上アップにつながらず悩んでいます。

『ビズモデル』は、経営相談を通じて事業者が気付いていないような「強み＝セールスポイント」を発見し、それを活かして売上アップにつなげる具体的な「知恵やアイデア」を提供することで、事業者の活性化に貢献するというモデルです。人材能力への依存度が高いことから、その人材募集は毎回全国公募がかけられ、多いケースでは500人を超える地域活性化の志を持つ人材が応募してきます。更に、公募で登用されたとしても単年度契約しか結ばれません。半期に一度、成果を問う評価会で人材能力の適性を審査され、適正不足となれば契約更改はされないという徹底的な成果主義に基づいたプロ契約です。

現在、全国17カ所の拠点で私を含む3人のリクルート出身者が、2つのまちの地域おこしを担い活動しています。地方自治体がなぜこの『ビズモデル』を導入するのかという背景と合わせて、公設の中小企業支援機関に民間企業のリクルート出身者が入っていくことの意義をご紹介していきたいと思います。

地方自治体の産業振興における課題

そもそも、地方自治体はなぜ『ビズモデル』の支援拠点を設立するのでしょうか。ご承知の方も多いかもしれませんが、実はこういった公的な中小企業支援は様々な機関があります。ただ「何を相談してよいかわからない」、「自分が対象なのかわからない」などの理由で、特定の事業者以外に利用されていない支援機関も少なくありません。そういった公的機関の中で、「どんな企業や個人が利用しているか」、「どんなアドバイスをしているか」「どのような成果を上げているか」という支援の見える化に初めて取り組み、具体的な売上アップの成果を上げ続けることで、続々と利用者が増えている支援機関が『ビズモデル』なのです。

その先駆けであるエフビズは続々と相談者が訪れる「行列のできる経営相談所」と呼ばれるようになっていました。そういった話題を聞きつけ、各自治体や議員団が視察に訪れるようになり、その成果や取り組みを目の当たりにすることで各市町での検討が進みます。日本全体の企業数に占める中小企業の割合は99・7％であり、地方においても概ねその比率は変わりません。この中小企業が地域の産業や雇用を支えており、中小企業の活性化は各市町において重要なテーマです。そういった背景は、地域が違っても共通項が多いので、東広島市を例にとって説明します。

東広島市は広島県中央部に位置し、広島市の東に隣接する都市で、市内には10蔵を数える日本酒の酒蔵があります。そのうちの7蔵がまちの中心部であるJR西条駅周辺に集積しており、兵庫の灘や京都の伏見と並ぶ日本の銘醸地として名前が挙げられています。産業としては、精米機大手のサタケや半導体大手のマイクロン、100円ショップの大創産業などの本社が立地しています。また、広島市中心部まで公共交通機関で1時間程度の距離であることからベッドタウンとしての機能もあり、県下でも珍しい人口増が続いているまちです。その他、広島大学など4つの大学があることも特徴です。

　2018年2月に東広島市長に就任された髙垣市長が掲げた5つの政策、その中でも一丁目一番地とされたのが「仕事づくり」でした。就任直後の4月には、「仕事が生まれるまち」の構築に向けて、東広島市の産業部産業振興課の体制見直しや職員の増員等を行い、市長主導のもと、「産業イノベーションの創出」と「中小企業等の活力強化」を軸とした政策の立案と実行のスピードアップが図られます。そこで、市長から検討の指示があったのが『ビズモデル』でした。市内約7000の事業所の大半を占め、地域経済と雇用を支えている中小企業、小規模事業所においては、その資金や人材といった経営資源では大きな制約がありました。また、経営者の高齢化や人手不足など、中小企業等を取り巻く構造的課題が深刻化し、先行き不透明な景気動向の中で、早急に中小企業等の活力強化を充実させる必要がありました。「お金をかけずに、知恵やアイデアで事業者の持つ〝強み〟を活かした売上向上」や「お金をかけないので、何度でもトライできる」といった特徴を有す『ビズモデル』の、これまでには無いスタイルかつ中小企業等には必要な支援機

写真左から、筆者、東広島市多田副市長、髙垣市長、ビズモデル創始者小出氏

能として注目しました。

当時、ハイビズの開設に携わった東広島市役所産業振興課は、市内事業者の課題を分析し『ビズモデル』の必要性を痛感したと言います。東広島市ではこれまでも、販路拡大や資金調達、生産性向上などに関して、経営相談・支援に取り組んできましたが、どこにも相談できていない中小企業等が大半となっているのが現状でした。また、東広島市の事業所はその80％が第3次産業であり、中でもサービス業、小売・卸売業の就業者は多く、市民の所得向上や市内経済の安定・発展、また市民の生活の質を向上させる上で、重要な支援対象でした。『ビズモデル』の特徴を見ると、重要な支援対象である第3次産業の相談が多く寄せられており、新商品開発や販路拡大、新市場進出といった支援を通じて成果を上げていました。経営の本質にフォーカスしてアイデアで売上向上につなげる『ビズモデル』の導入によって、多くの経営者を支える、また、経営者にとっての相談先の選択肢を拡げることができる点でも有効であると捉えました。

こうして、ハイビズは高垣市長の就任からわずか2年後に開設を迎えます。市内の事業者へ向けた面的な支援を市役所が設計し、東広島商工会議所と二人三脚で運営をすることで切れ目のない支援が実現しました。開設から3年が経過した2023年2月現在、約750社の中小企業・小規模事業者が利用し、延べ5000件を超える相談件数を対応する相談所として活動しています。

リクルート出身者×ビズモデルの中小企業支援

私が勤める東広島市以外にリクルート出身者が活動しているのが、2018年8月に開設された釧路市ビジネスサポートセンターK―Biz（ケービズ）です。ここには澄川誠治さんと田辺貴久さんのお2人が勤務しています。本当に偶然なのですが、私も含めた3人とも住宅情報（現SUUMO）出身者で、リクルートにいた当時からの知り合いでもありました。澄川さんは2004年にリクルートに新卒入社、2018年にリクルートを退職し当時住んでいた福岡から釧路へ転居して、釧路市ケービズのセンター長を勤めています。そして、その澄川さんに続く形で2019年10月からケービズに参加したのが田辺さん。田辺さんは2007年にリクルートに中途入社し、生まれ育った関東を離れて釧路へと移住しました。地方の活性化に身を投じる理由は私も含めそれぞれですが、リクルートでは、澄川さんが福岡・広島の営業統括、田辺さんは札幌・仙台・広島・福岡の情報誌責任者で、3人ともリクルートでの最後のキャリアが地方担当だったことは、ひとつのきっかけだったかもしれません。

『ビズモデル』の中小企業支援の特徴は、中小企業や小規模事業者の持つ強み・良いところを探し、それを「セールスポイント」とした売上アップの打ち手を組み立て、実行に伴走するというものです。釧路も東広島も、大手製造業の下請をしている部品工場や親子で営業している飲食店、独立したての美容

ハイビズの相談風景。農業経営のご夫妻と商品開発を進めている

師さんのヘアサロン、地元で4代続く米問屋、地域の消費を支えるスーパーマーケットなど、地元の中小企業や皆さんが街で見かける個人商店を支援しています。

相談にいらっしゃる皆さんに、「お客様にはどんな点が喜ばれているのですか?」というような質問をすると、「それなりに頑張ってやっているけど、そう言われると…」と口ごもられる方も多くいらっしゃいます。そこから「いやいや、そんなことないですよ」、と商品やサービスについて徹底的に深掘りを進めていき、強みを発見するヒアリングを重ねていきます。そこで見つけられた強みを「これ、すごいことじゃないですか?これを活かして販売につなげましょうよ」、と強みを言語化してお伝えします。すると、「あ、それは実は開店当時からのこだわりで!」という具合に意欲が高まり、そこから具体的な手法に落とし込んで提案し、その手法の実行支援に伴走していきます。

経営者ご本人は大したことはない、と思っていた点が、ターゲットを絞り込んだり、市場を変えると強みにできたり、あるいは弱みとさえ思っていた点が、光の当て方を変えると強みになっていく。売上をアップするために、そういった視点や視座で事業者の皆さんに向き合っています。私は、この支援の流れそのものがリクルートの仕事、特に営業の仕事の仕方に極めて類似していると思っています。私が住宅領域出身なので、住宅領域での仕事に例えると、リクルートメディアで効果をお返しするために（つまり、掲載への期待をいただくために）、販売物件の良いところを探し、それを打ち出した広告紙面を提案します。その上で、販売を進めるための動機付けを行って掲載していただき、送客して成果をお返しするというものです。

リクルートで培ったセールスプロモーションのスキル、そして消費者の目線に立ちながら顧客以上に顧客のことを考える当事者意識が、相談対応において発揮されることで『ビズモデル』のノウハウを活かすことにつながっていると感じています。ケービズ、ハイビズのそれぞれの取り組みや支援事例について、各ＨＰにて公開していますので、ご興味を持たれた方は、ぜひそちらもご覧いただけましたら光栄です。

顧客の成長を顧客と共に考えるリクルートらしさ

地域で産業振興に携わるようになり、良い商品やサービスが各地にたくさんあることを目の当たりにしてきました。ただ、中小企業や小規模事業者はなかなかその「良さ」に自信が持てなかったり、あるいは気付いていなかったりして、売上アップにつなげられていないことが多くあります。中小企業・小規模事業者の皆さんから「うちの商品がなかなか売れない」、「お店にお客様が来てくれない」といった経営相談をお受けするとき、私はリクルートに入社したての頃を思い出します。

分譲マンションは各地で常時いくつもの物件が販売されており、更にその物件もたくさんの住戸で構成されていますが、全体で見ればどうしても「人気・不人気」があります。当時、私の周りにいた営業の先輩方に「あの住戸、不人気で売れないのですよね」、「あの物件、ちょっと厳しいですね」なんて言おうものなら、「それを何とかするのがお前の仕事だろう。お前はどうやってその物件（住戸）を売るつもりだ?どんな提案をする?」と問われたものです。そして、「完売しないマンションはない。住まう人が幸せでない住戸なんてない。必ず、その住戸を買って住むことで幸せな暮らしを送る人たちがいる。その人たちを送客するのがリクルートの仕事だ」と教えてもらいました。その薫陶を受けてきた私は今、中小企業の経営者の方や小規模事業者様に「必ず評価してくれているお客様がいます。そして、そこにはこの商品の強み、セールスポイントがあります。それを一緒に考えるのが私の仕事です」とお話させていただいています。ただの受け売りも甚だしいですが（笑）、良いものは徹底的にパクる・真似る、ということもリクルートで学んだ大切なことの一つです。

第7話

観光が未来の日本を創る

～故郷広島からの挑戦～

山邊 昌太郎

Yamabe Shoutarou

山邊 昌太郎
（やまべ しょうたろう）

Profile

1970年2月生。広島市出身。1992年株式会社リクルート入社。I&N事業部、新規事業開発（医療介護PRJ・金融PRJ），リクナビ責任者，求人各誌編集長を歴任。2008年同社退社。個人事業主として事業会社各社のコンサルおよび事業企画支援に携わる。2016年カルビー株式会社入社。新規事業開発拠点Calbee Future Laboを立ち上げ。「圧倒的顧客視点」で既成概念を超えた商品開発をリード。（現在も同社顧問）2020年4月より一般社団法人広島県観光連盟（HIT）チーフプロデューサー。2020年11月より広島大学客員教授。自由をこよなく愛す。

故郷広島へ

高校を卒業してから故郷広島を離れた私は、もう戻ることは無いと思っていました。その思いが翻るきっかけとなったのは、広島創業の大手菓子メーカー・カルビーが、新たな新規事業開発の拠点を広島に構えることとなり、２０１６年にその立ち上げリーダーに着任したことでした。

当初はカルビーの仕事がひと段落したら、東京に戻る予定でした。旧友が数多く残る勝手知ったる土地ではありましたし、しばらく離れて暮らしていた両親も想像以上に喜んでくれた反面、単身赴任の生活はそう簡単なものではありません。着任した時、２人の娘は高校生と大学生の思春期だし、二重生活のコストもバカになりません。

「どうせ数年経ったら東京に戻るんじゃろ？」広島の旧友も私も、そう考えていました。

食品会社はおろかメーカー勤務も初めての私にとって、頼りになるのはカスタマー（お客様）である地元の人たちでした。彼らを巻き込み、社外のパートナーを巻き込んで取り組むカルビーの仕事は、とてもエキサイティングでした。業界の慣例をぶち破り、既成概念を飛び越えた商品を生み出す取り組みにおいて、広島という地方の存在は、本社（東京）から物理的に離れていることによる独立感、コンパクトな街であるが故の人と人との関係性の近さ、そして何といっても「おらが街広島」を支える県民の皆さんの熱さが故に、だんだんとポジティブなものに思えてきました。

一方で、当時広島県は観光行政のあり方を大きく変更しようとしていました。人口減少やものづくりの衰退が叫ばれる中で、観光は数少ない「成長産業」です。しかしながら、事業として大きく成長させるには、公的な地方公共団体である県という組織がイニシアティブを取ることには限界がありました。結果、湯崎知事は県が持つ観光に関わる事業のほとんどを切り出し、県の観光推進の担い手を、広島県観光連盟という外の組織に委ねることとしたのです。さらにいうと、この組織のリーダーは、既成概念にとらわれず、観光に関わったことがない人が良い、という思い切った要件を示され、その候補者として私への打診があったのです。

当初は数年を経て東京に戻るはずの広島生活でしたが、私の中ではもうすっかりここ広島での仕事がやりがいのあるものになっていて、この話を断る理由は無くなっていました。

広島という、世界的な都市の次世代を担う産業をリードできる充実感に加え、地元のために働くという、とても名誉な役割を与えられたのですから。

素人の自分に何ができるか

カルビーの時と同様に、知識も経験も無い観光業界に飛び込んだ私ですが、あらためて、「未経験者だからこそ見える世界がある」と前向きに考えました。

これまでの業界の「あたりまえ」が上手くいっているなら、わざわざ私のような素人に任せないはずです。観光という世界にフラットに向き合った時に何ができるか、何をすべきか、それが私に課された命題でした。

2020年4月、私は一般社団法人広島県観光連盟の常務理事・事業本部長に着任しました。なんともお堅い、「お役所的な」タイトルです。

着任が決まってからの数カ月間、自分なりにその後の取り組みについて思考をめぐらせた時、頭をよぎったのは、シンプルに「観光って楽しくて、ワクワクするものだよな」ということでした。でも、この社名やタイトルからはワクワク感が感じられない。ならば変えよう、と。

広島県観光連盟の英語名は「Hiroshima Tourism Association」です。頭文字をとって「HTA」。いやこれはなんか覚えにくいし、読みづらい。そうだ、HiroshimaのHIとTourismのTをとって「HIT」にしよう！呼びやすいし、親しみを持ってもらえるし、何せヒット商品ができそうで縁起もよい。当初は略称のみでしたが、現在では定款にもきちんと記載されています。

私のタイトルも変えました。常務理事・事業本部長なんて仰々しい。リクルート出身の私からすると、「本部長！」なんて呼ばれると、何やら馬鹿にされている気分になります（笑）。やはり軽やかで、新しいことにチャレンジできそうなタイトルにしたい。そう思い、「チーフプロデューサー」にしました。同じく事業部長さんは「プロデューサー」としました。

服装も変えました。着任日に私はジャケットとジーンズという出でたち。従業員35名のうち、県庁からの出向者が半数を占めるこの組織では、メンバーたちは全員スーツ姿。着任の挨拶でこう言いました。「皆さんが一番パフォーマンスを出せる格好をしてきてください。それがスーツならそれでも良い。でも、そもそも旅行行く時にスーツ着ますか？」

皆、戸惑ったことと思います。でも、翌日から徐々に皆の服装は変わり始め、今はもうほぼ全員が各々好きな格好をしてきています。同系色のスーツ集団より、オフィス内の色も華やかになった気がします。

書きながら思い出したことがあります。リクルートの新人営業マン時代、教育担当の先輩が、お客様訪問時に必ず鏡で自分の姿を見ろ、と教えてくれました。表情は険しくないか？イキイキしているか？

身なりは問題ないか？お客様に伝わるぞ、と。

見た目を変えるって本質的で無いように見えますが、それによって気持ちが変わったり、振る舞いが変わったり、無視できない効果があると思います。結果、それが中身を変えることにもつながると思うのです。

基本的なことをちゃんとやる

2020年は、まさにコロナが猛威をふるい始め、観光業は冬の時代に突入し始めた時でした。

私はたくさんの人から声をかけられました。「大変な時に観光の仕事することになったね」「これじゃ何もできないよね」「やることなくて暇でしょ？」。

本当にそうでしょうか？確かにそれまでの延長線上であれば、やることは無かったかもしれませんが、実際にはやるべきことが盛りだくさんでした。

それまで順調に成長してきたかに見えていた広島県の観光ですが、深く調べていくうちに、その基盤はとても脆弱なものであることがわかってきました。

むしろ、このタイミングでしっかりとした成長への基盤を創らねばならないし、今やらなければ大変なことになる。そう思うと、じっとしている暇なんてありませんでした。

広島県は、「2030年に観光消費額を8000億円まで成長させる」という目標を持っていました。ちなみにこれは、2016年の観光消費額約4000億円の倍の数字です。ただ、これ以外は何も決まっていません。重点的に取り組むべきテーマやミッションや、それを実現する上でキーとなる取り組みは何か、定められたものはなく、ひたすらプロモーションで誘客促進するといったものでした。乱暴な言い方をすると、それまで順調に成長してきた観光産業ですが、明確な戦略や戦術があったわけではありませんでした。強いていうならば、外国人のビザを緩和したことにより、入国の基準が緩められ、結果インバウンドが大幅に増えたという国の戦略が功を奏したというくらいでしょうか。広島県に限らず、多くの自治体ではプロモーションという直接的誘客策がひたすら実施されていました。

では、観光業を持続的に成長させるための我々のミッションは何か?

統計情報の中で、広島県はリピートに弱いことがわかっていました。広島の観光地といえば平和記念公園／原爆ドームと宮島の2カ所が突出しすぎており、この2カ所に行けば広島は他に行くところは無い、くらいに考えられていそうでした。

ところが、商売の基本に立ち返ると、やはりベースとなるのは「リピート客」です。「リピータブルな観光地になる」を我々のミッションとし、それに向けた戦略を構築し、戦略に則った具体的取り組みを実践することこそ、私たちがなすべきことでした。

あたりまえのことですが、基本的なことをちゃんとやろう。そう心に決めました。

リピータブルな観光地になるための基本戦略

これは、顧客視点での観光体験モデル（ぐるぐる図）です。

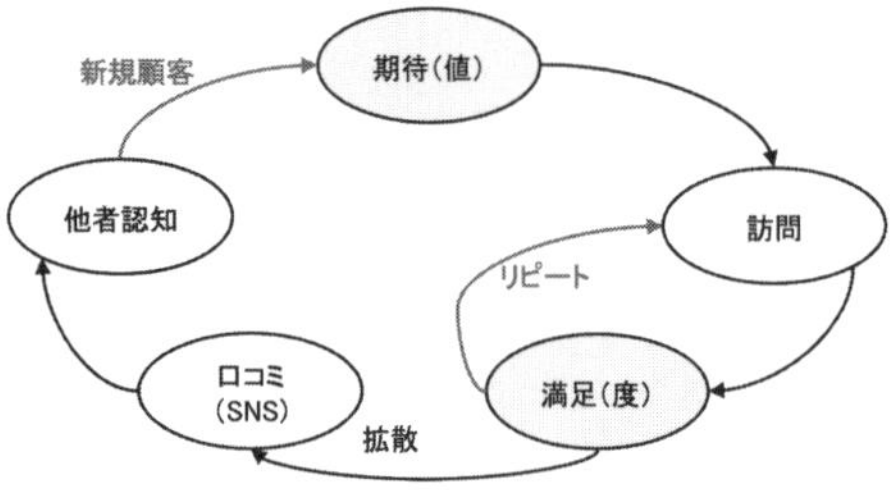

新規顧客
期待（値）
訪問
リピート
満足（度）
拡散
口コミ（SNS）
他者認知

観光体験モデル（ぐるぐる図）

お客様は、「期待値」をもって↓広島を「訪問」します↓そこで「満足」すれば↓口コミをもって「拡散」し↓それを「他者が認知」し↓その他者がまた新たな「期待値」をもって↓広島を「訪問」・・・というように、このサイクルは自走し始めます。

また、「満足」したお客様はリピートしてくれます。結果、広島を訪れてくれるお客様は増える。これを観光地広島の基本成長モデルとして、すべての戦略の基本に据えました。

このモデルはとてもシンプルで、大切なことはお客様が「満足」するかどうか、ということ。

満足はお客様の「期待値」を基準として判定されるわけですから、結局重要なことは、

・いかにお客様の「期待値」を把握し
・それを上回る「満足」を提供できるか

ということに尽きます。

至極当たり前のことではあるのですが、それができていたか?ということです。

例えば前者の「お客様の期待値を把握する」はお客様を知ることであり、即ち顧客起点でものを考えるということ。観光統計データから読み取れる顧客動向のようなマクロなものだけでなく、コロナ禍における観光に対するニーズの変化、もっというと個別のお客様の姿を想像しながら商品企画やサービス提供ができるか?というお題です。

まさに「圧倒的顧客志向」が求められるわけで、そのために新たにマーケティングの組織をつくり、これまでの定常的な調査だけでなく、GPSを用いた分析や、直接モニタリングが可能なHITひろしま観光大使という組織を新設するなど、「お客様を知る」ことに力を注ぎました。

「満足を提供する」はそれに値する商品やサービスを提供できているか?ということ。

前述の通り広島には平和記念公園/原爆ドームと宮島という2つの世界遺産があり、誰もが訪れたい

素晴らしい観光地でもあります。しかし、それに続くものが無い。いや、実際には数多くの魅力的な観光プロダクトやスポットがあるにも関わらず、それを掘り起こすことができていないがために、何度も訪れたい観光地になっていないのではないか？

私たちは「１００万人が集まるプロダクトを１つつくるよりも、１万人が熱狂するプロダクトを１００個つくろう！」を旗頭に、「ロングテールなプロダクト造成」と称して、多様なニーズにお応えしうる品揃えを実現し、お客様に満足いただけるような観光地になることを目指しています。

これまでの観光施策では、これらの「お客様を知る」や「満足を提供する」ことに先んじて、プロモーションが優先されてきました。ところが、いくらプロモーションをしてお客様が集まってくれても、満足いただけないとリピートしてくれませんし、悪評につながると新規のお客様も来てくれなくなります。

物事には順番があって、やはり「お客様を知る」「満足を提供する」がしっかりできた後に、それを「お客様に伝え・動かす」プロモーションが必要になる、ということだと思います。

先にお伝えした通り、私は観光業界の「ど素人」です。また私は長らく広島を離れていたので広島のことをあまり知りません。でも、だからこそ、この業界の常識や慣習に囚われることはありませんし、外から見た広島の魅力も感じることができるはずです。時にネガティブに捉えられがちなことも、視点を変えればポジティブになる。そう前向きに捉えてみることも大切なことではないでしょうか。

仲間を増やす仕組みをつくる

ＨＩＴはたかだか社員数40名の会社です。これで広島県の観光を大きく変えていこうとすることは、簡単なことではありません。シンプルに仲間を増やしたい。

ＨＩＴでは、そのための取り組みをたくさん行っていますが、ここでは「ＨＩＴひろしま観光大使」について触れてみたいと思います。

「観光大使」といえば、芸能人やスポーツ選手など著名人、あるいは「偉い人」がなっていらっしゃるのがほとんどではないでしょうか。ところが、誤解を恐れずに言うと、本当になりたい人がなったのか、そのタイトルを意気に感じて取り組んでいらっしゃる人がどれだけいるのだろうか、というと少々疑問が残ります。

そこで私たちは、誰でもなれる観光大使として「ＨＩＴひろしま観光大使」制度を創りました。条件はただ一つ、「広島が好きであること」これだけです。年齢も、国籍も、出身地も関係無い画期的な制度です。ご希望の方には、任命状と名刺をお渡ししていますが、SNS上で「観光大使になりました！」と誇らしく投稿されるケースが数多くみられます。

ちなみに「HITひろしま観光大使」第1号は、当時小学校5年生だった男の子ですが、大使としての自覚満々です。中学校入学時、教頭先生に対して「僕はHITひろしま観光大使なので、広島のことをもっと知りたいです！」と宣言されたとのこと。広島の未来は明るいです。

HITひろしま観光大使 任命状と名刺

さてこの観光大使の制度ですが、当初の狙いは「広島の魅力を発掘して、発信してもらう」という、いわゆるよくある観光大使像と変わりませんでした。ところがスタートして、私たちが開発に携わった新しい観光プロダクト（コンテンツ）をモニターとして体験してもらった際、「ここはもう少し改善したほうが良いのでは」とか「子どもと行くには少しハードルが高いので、配慮してほしい」といった改善に向けての意見やアドバイスを積極的にいただけることがわかったのです。さらに、そういった意見やアドバイスをされた大使の皆さんは、そのプロダクトに愛着を持っていらっしゃいますから、熱狂的なサポーターとなり、いろんな人に宣伝するし、同じ方向を向いて伴走してくれます。

そう、私たちが当初想像した以上に、観光のエコシステムをぐるぐる回してくれるということが分かってきたのです。

となればこれは増やしまくるしかない！ということで、「観光大使100万人計画」をぶち上げ、広島県内だけでなく、県外、はたまた国外にまでその輪を広げようとしています。

2023年4月25日時点のHITひろしま観光大使の数は、約1万5000名。達成率はまだ1％程度ですが、その数が目標値に近づいたとき、観光のあり方は大きく変わるものと考えています。

つながる、つなげる

広島に戻ってきて7年間の私を支えてくれたのは、数多くの人とのつながりでした。

高校の同級生や先輩後輩が、広島での人脈を広げてくれました。そして、リクルートのネットワークが、ビジネスの可能性を広げてくれました。

不思議だったのは、東京にいた時には、近くにいるのになかなか会えなかった人たちが広島に来てくださり、たくさんの方々とお会いできたことでした。

地方で仕事をするって、こういうことなのかなって思います。一人ひとりとの人間関係が信頼を生み、輪を広げ、大きくなっていく。縦も横もつながり、ダイレクトに意思決定者とコンタクトできる。そこに、これまで培ってきた知識や経験や人脈を、存分に投入する。

東京にいた時は不毛の地に見え、決して帰りたい場所ではなかった広島が、いまは可能性に満ちた白地マーケットに見えるまで、180度意識が変わりました。

7年前、故郷広島に戻ってきたことは、今となっては偶然ではなく必然だったのかな、という気すらします。

数多くのつながりをいただいた分、今度は私が「つなげる」役割を担わねばと自覚しています。

観光が未来の日本を創る

「失われた30年」と言われ、日本人が自信を失くし、誇りを失っていると言われます。広島県民も同様に私は感じました。

自信や誇りを取り戻すプロセスには様々あるかと思いますが、私はそのひとつに「褒められる」があると思うのです。褒められると嬉しくなります。自信がつきます。そして、自分自身が少し誇らしくなります。

私は観光こそが、この自信や誇りを取り戻すきっかけになると確信しています。

観光に来たお客様は、満足すれば褒めてくれます。「広島は素晴らしかった」「美味しいものがたくさんあった」「人が親切だった」。そうすると、県民の皆さんは嬉しい気持ちになり、この土地に住んでいることに自信を持ち、そして県民であることを少し誇らしく感じるのではないでしょうか。

嬉しさや自信や誇らしさの先には、「幸福」があります。その先にもっと街を良くしようとするエネルギーが生まれ、さらに「褒められる」観光地へと育っていく。

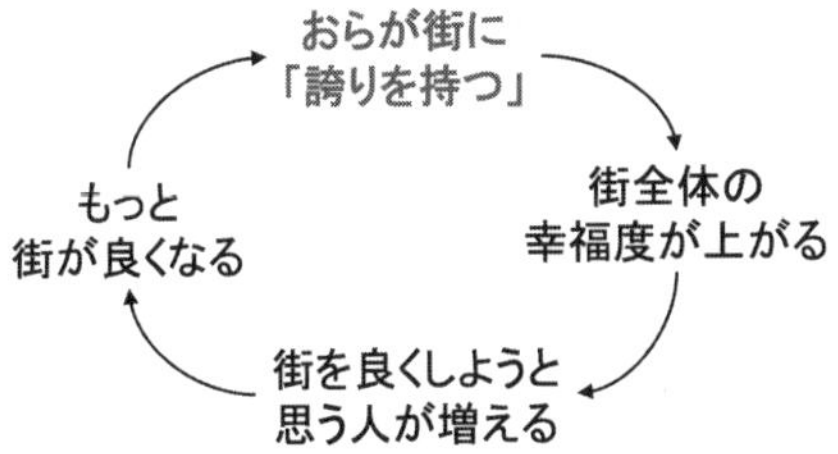

おらが街に
「誇りを持つ」
街全体の
幸福度が上がる
街を良くしようと
思う人が増える
もっと
街が良くなる

さらに「褒められる」観光地へ

観光はまさに、この国が失われたものを取り戻す、大きなエンジンになるのではないかと思います。

こう考えてみると、観光は直接事業を担う事業者だけでなく、住民までを巻き込んだ、裾野の広い産業であることがわかります。だからこそ、「誰かがやっていること」と他人事にとらえるのではなく、「自分事」「当事者」として向き合っていただけるよう、働きかけ続けねばなりません。全ての人が、観光の「担い手」なのです。

そのための「ＨＩＴひろしま観光大使」であり、「ＨＩＴ」という組織であらねばと思います。

世界に冠たる観光地を目指して、そして、その先に幸せな地域住民の姿を描いて、まだまだチャレンジし続けたいと思います。

第8話

自治体のブランド力向上5つの勘どころ

～選ばれ、選ばれ続ける、持続的な広島県の魅力づくり～

上迫 滋
Kamisako Shigeru

上迫 滋
（かみさこ しげる）

Profile

広島県江田島市出身。筑波大学第2学群比較文化学類卒業後、1985年株式会社リクルート入社。総務部人事課採用担当、広告事業（新卒採用サービス）新都心営業部2課マネージャーを経て、1992年退職。同年、株式会社博報堂入社。日産自動車を約10年間担当。リバイバルプラン前後の企業ブランド再生業務に携わる。その後、三菱自動車を担当。毀損した企業ブランド再生業務を部長として牽引。2006年より博報堂ブランドコンサルティング（現 博報堂コンサルティング）常務執行役員として約7年間、事業や商品・サービス開発からのブランド構築を学ぶ。2014年独立し、株式会社イノベイトを起業。加えて2015年4月～2022年3月、広島県CCMO（チーフ・コミュニケーション・マーケティング・オフィサー）に就任し、広島と東京の2拠点生活を経験。2016年より江田島市地方創生参与、2019年より全国知事会広報アドバイザーに就任。一貫してマーケティングと情報発信の現場で、ブランド価値向上に携わる。

共著に「リクルートの口ぐせ」（KADOKAWA）など。

元 広島県CCMO（チーフ・コミュニケーション・マーケティング・オフィサー）、株式会社イノベイト 代表取締役、全国知事会 広報アドバイザー、江田島市 地方創生参与

マーケティングと情報発信が必要な場所へ

首長さんとお会いすると、皆さん異口同音に「もっと情報発信を強化し、ブランド力を高めたい」と話されます。

何のためにブランド力を高めるのでしょう？ 世界で突出して少子高齢化が進み、２０４０年までに自治体の半数近くが消滅しかねないと予測する書籍があるほど、地方自治体の現状は深刻です。観光や移住先として、またビジネス拠点として選ばれ、在住の皆さんからも選ばれ続けない限り、衰退の一途は避けられない。それゆえに「ブランド力を高める」必要があるのだと思います。

私が湯﨑英彦広島県知事からＣＣＭＯ（チーフ・コミュニケーション・マーケティング・オフィサー）の役目をお受けしたのは、自分の故郷であるのはもちろんですが、地方自治体こそ今もっともマーケティングや情報発信が必要な場所だと考えていたからです。オファーいただいたのは独立間もない時期でしたし、正直迷いはありました。しかし公的な立場での地元貢献は、やりたいと思ってもお声が掛からなければ叶いません。同じ頃ヤンキースからカープへ復帰を決めた黒田博樹投手にも勝手に背中を押され、広島と東京の２拠点生活が始まりました。

知事からは「広島ブランドの価値向上」をミッションとして付与されました。試行錯誤を重ねた７年間。そこで得た経験や知見を、「５つの勘どころ」に集約して共有します。少しでも同じような課題に取り組む皆さんの参考になれば幸いです。

1　発信力は魅力的なコンテンツがすべて

総務省が発表している資料（米ＩＤＣ調査）によると、２０２０年にネット上で流通する情報量は、２０００年と比べ６０００倍以上に増えていると推定されます。人の許容量をはるかに超えています。誰もが情報のバリアを張り不用な情報を防ごうとしています。そのような環境で、自分たちの言いたいことだけ連呼しても誰も聞いてくれません。その一方で信用する友人からシェアされた有用な（面白い、役に立つ等）コンテンツは、あっという間に拡散されていきます。結局はそのコンテンツ自体が魅力的かどうか？それが全てなのです。ファクトを発見し魅力的なコンテンツに磨き上げる。これこそが、発信力を高める唯一無二の方法だと考えています。

広島県の観光課題の一つが、宮島と平和公園の2カ所が突出していて他が弱い点です。第3第4の人気スポットを創出すべく、尾道と県の魅力化が課題でした。尾道の提案を募った中にキラリと光るものがありました。猫の目線で尾道の街を歩くストリートビューのアイデアです。尾道はもともと猫が多く、「猫の細道」や「猫石」など知る人ぞ知る猫の街でした。そこにストリートビューというデジタル技術を掛け合わせるのです。即採用して磨きをかけました。寄ってくるお店の看板猫たちをクリックすると

CAT STREET VIEW コンセプトムービー（現在サービスは休止中）
https://youtu.be/pFULqJJCnqs

猫好きの祭りで顔にペイントした子どもたち

WSJ

Hiroshima Map Offers Cat's-Eye View

A screenshot of Hiroshima prefecture's new cat's-eye street map.
ILLUSTRATION: HIROSHIMA PREFECTURE

By Jun Hongo Follow
Updated Sept. 4, 2015 5:34 am ET

SHARE TEXT

WSJの記事

彼らのプロフィールが読めたり、猫なので時には屋根の上にも道が延び瀬戸内の絶景が眺められたり…。

こうして2015年秋に発表された「キャットストリートビュー尾道編」は1週間で100万PVを超えました。面白かったのは、「猫好きは海を超える」ということです。海外からのアクセスが急増し、CNNやウォールストリートジャーナル、ル・モンドなどでも取り上げられました。反響を受けて旅行代理店が企画した猫好きツアーは即完売。これがきっかけで毎年2月22日（ニャン×3）に猫好きの祭りが開催されるようになりました。顔に猫ペイントして、スマホ片手に「推しネコ」求めそぞろ歩く、そんな現象が「ネコノミクス」として全国紙で報じられました。尾道は今ではすっかり「猫の街」として定着しています。

2 「どのように」のまえに、「誰に」「何を」を明確に

県庁の事業コンサルで、「このポスターどうしたらよいでしょうか?」と聞かれることがあります。そこで「この事業のターゲットは誰で、彼らにどんな便益を提供する事業なのですか?」と聞くと、途端に雲行きが怪しくなります。ポスターで「どのように」伝えるか?の戦術以前に、この事業で「誰に」「何を」提供するか?の戦略がちゃんと固まっていない。そもそも課題がしっかり掴めていない。だから「どのように」の段階で迷路に入ってしまうのです。初年度は予算も確定し走り出している事業ばか

牡蠣ングダム 広島はしご牡蠣 開発メニューの一部
https://kakikuken.com/hashigogaki/

りでしたので、微修正が精一杯でした。そこで9月頃から始まる次年度の事業策定には立案から関わり、「誰に」「何を」が明確な戦略作りをサポートしました。

　ブランド強化ポイントの一つに「食の魅力向上」があります。観光に関しても客数は増えていましたが、客単価が上がらないという課題がありました。広島といえば「お好み焼き」や「もみじ饅頭」が有名ですが、客単価の向上には、広島にもう1泊してでも食べたいディナーの開発が急務でした。そこで全国シェア№1の牡蠣に注目し、課題の洗い出しに着手。見えてきたのは観光客の期待と広島県民の大きなギャップでした。観光客が広島で楽しみたいグルメでは、お好み焼きと並ぶくらい牡蠣は上位。その一方で観光客に牡蠣をお勧めしたい県民は、お好み焼きの1／10以下だったのです。たしかに広島は

牡蠣食う研　広島を世界一おいしく牡蠣が食べられる街へ
https://kakikuken.com/

生産量日本一ですが、食べ方は焼き牡蠣と土手鍋くらい。店やメニューが少なく、「豊かな食文化を育て、県民が自信をもってお勧めできるようにする」という課題が見えてきました。

そこで名実ともに「日本一牡蠣を美味しく食べられる県」になるべく2017年に「牡蠣ングダム」を宣言。手始めに2エリアを選定し、スペインのバル巡りのように「はしご牡蠣」できるストリートをつくりました。料理専門家の協力を得て、エリアのお店と一緒にメニューも開発。こうした取り組みがきっかけとなり、生産者も加わった「牡蠣食う研」の発足へと発展しました。低温でじっくり揚げた「白いカキフライ」や「牡蠣に合うレモンサワー」、さらには「牡蠣柄アパレル」まで、魅力的な牡蠣コンテンツが日々生み出されています。課題の本質をつかみ、努力が価値（この場合は「食の魅力」）へ蓄積されていくような取り組みを増やしたいものです。

3　ターゲットの解像度を上げ、新たな鉱脈を掘り当てる

「誰に」の発見は、マーケティングで非常に大切です。ターゲットの解像度を上げていく作業をプロファイリングと呼びますが、最も大切なのは生の声、定性調査です。ターゲットの息づかいが聞こえるくらいリアルにイメージできれば最高です。しかし自治体ではその前に、取りあえず定量調査というパターンも多く課題です。

昨今どの自治体も移住対策に力を入れています。広島県も東京の有楽町に窓口を出して熱心に移住希望者を支援していましたが、着任時のランキングは18位に沈んでいました。合同イベントでは自治体間で来場者の争奪戦が起きるなか、広島は競り負けていたのです。そこで窓口担当の方が残した数百人分のカルテを借りて、隅から隅まで読み込んでみました。丁寧につけられたカルテで、相談者の生声がたくさん記録されていたのです。気づいたのは相談のきっかけが千差万別ということでした。潜在意識にあった「移住」が、人事異動や親の病気、子どもの進学など何かのきっかけで急にリアルになる。もしその瞬間を逃さずにリーチできれば、潜在的なターゲットを掘り起こせるのでは？そう感じました。

実際に2020年内閣官房の調査によると、東京圏約3500万人のうち移住行動している顕在層は

2・2％（77万人）ですが、行動していない検討層は11・5％（403万人）と5倍以上の潜在層が存在します。こんなとき有効なのがデジタルマーケティングです。終電に揺られながら「自分はいつまで東京で働き続けるのだろう…」と思い、ふとスマホで「移住」と検索する。その瞬間に寄り添い、必要な情報を提供してくれる自治体があったら…心理的な距離感はぐっと近づくことでしょう。そこでプロポーザルを通じパートナーを募り、様々な仮説検証を繰り返しながら最適なアプローチ法を模索していきました。

その中で新たな課題に直面します。ターゲットの反応が最も高い夜の時間帯は窓口対応が終了しており、せっかくリーチできても相談対応ができないのです。そこでＡＩを活用したチャットボットを導入し、カルテを学習させ、24時間いつでも最低限の対応ができる体制を構築しました。折しもコロナ渦で人の移動が著しく制限されたのを逆手に取り、オンラインセミナーを積極的に開催し誘引。ウェブ上で役所の担当者や先輩移住者と交流する場をつくり、東京から遠いというハンデを跳ね返しました。デジタルとリアル

AIチャットボット「あびぃちゃん」
https://www.hiroshima-hirobiro.jp/abi/

を柔軟に組み合わせてターゲットにアプローチし、移住へ至るゴールデンルートを日々開拓しています。

広島県は「2021年ふるさと回帰支援センター移住希望地ランキング」で、全国1位（セミナー部門）へ躍進しました。移り住みたい県として、多くの方に選ばれています。もちろんデジタルマーケティングだけが要因ではありません。移住促進は、仕事から住まい・教育・医療環境まで、生活のすべてが関連する総合競技です。一つひとつの改善ファクトと情報発信が有機的に連携し、初めて成果となるのです。

4 「伝えたくなる」から逆算し、メディアのインサイトを突く

メディアに取り上げてほしくてリリースを売り込むが、まったく露出が獲得できない。そうした広報担当の悩みをよく耳にします。リリースを拝見すると、自分たちの「言いたいこと」だけで埋め尽くされています。民間のメディアは視聴率や販売部数を伸ばさねばならず、視聴者や読者が興味を持つ内容でないと「伝えたい」とは思いません。メディアも事業体であり、どのようにＷｉｎ―Ｗｉｎの関係を築くかが肝要なのです。

広島県では「首都圏広報会議」を毎月開催しています。メンバーは、広報担当に観光など関係各部署で構成され、そこに委託先のＰＲ会社が加わります。全国ネットで発信される良質な露出を獲得するの

がミッションです。それにより全国民の脳内で広島ブランドを育てると同時に、県民のプライドも育成するのです。ただしPR会社にお願いすれば露出が増える、という訳ではありません。大切なのはメディアを回る彼らの営業カバンにどれだけ良いネタを入れてあげられるかです。

「イノベーション立県」を掲げて活力ある県を目指す広島が、2018年度に新事業「ひろしまサンドボックス」をスタートさせることになりました。これは広島を実験場（砂場＝サンドボックス）として開放し、ITを活用した様々な課題解決プロジェクトを募る取組みで、採用されたプロジェクトには3年間で1億円という破格の資金が提供されます。この取組みには「首都圏に遍在するIT人材の関係人口化」という狙いがありました。つまり彼らに興味を持ってもらい、「エントリーしようかな」と思わせることが何より重要だったのです。そのためには首都圏メディアに取り上げてもらう必要がありますが、観光や食などと違い露出の難易度は格段に高くなります。

どうすればメディアが取材したいと思うでしょう？「広島県単独で厳しいなら魅力的なコラボを組むしかない」と考え、IT人材集積地のひとつ渋谷区（ビットバレー）に声をかけました。元同僚が区長と副区長だったのに加え、彼らが「渋谷未来デザイン」という社団法人を立ち上げ「地方との連携」をテーマの一つに掲げていたからです。実験場を提供する広島県と、IT人材の送り出しをサポートする渋谷区のコラボです。さらに協賛企業のNTTやソフトバンクの役員はもちろん、他のIT企業にも記者会見への出席を働きかけました。当日は渋谷の会場が溢れるほどメディアや企業関係者が集まり、熱

（上）記者会見の様子
ひろしまサンドボックス　https://hiroshima-sandbox.jp/
（下）CEATECキーノートでの講演

気に溢れた会見となりました。結果89件のプロジェクト申請があり、メンバー登録も企業と個人合わせて一年で６００者を超えるなど、上々の滑り出しができました。さらに２０１９年のＣＥＡＴＥＣでは、自治体首長として初めて湯崎知事がキーノートに登壇し、サンドボックスの取組みや成果を発信。これまでの５年間で１００件を超えるプロジェクトが実施され、その縁で広島へ拠点開設するＩＴ企業も増えています。

このような取組みの結果、着任当時に広告換算で30億円程度だった首都圏広報は、１２０億円以上に露出量を増やしました。量に加えブランドの注力指標を強化する、質の露出にもこだわっています。良質な露出は視聴者や読者の反応も良く、「広島ネタは数字が取れる」とメディアとの関係も良好になりました。

5　マーケティング視点をプロセスに埋め込み、再現性を生む

事業立案の段階で、「この事業が新聞に載ったときの理想的な記事」を作ってみる作業をよく行いました。大見出しは？リード文は？写真は？のように。そのうえで、記事に見合う事業内容になっているか？そもそも記事は魅力的か？などを検証しました。これはメディアという鏡に自分たちの事業を映し、そこからバックキャストして見直す作業です。こうした業務を事業立案のプロセスにインストールし、組織のマーケティング力を強化すべく、新たに「広報戦略シート」を導入しました。「誰に」「何を」が明確になり立案の質が上がるよう、様々な工夫がされています。例えば「誰に」は安易に「県民」と書かぬよう、あえて「コアターゲット」としてあります。シートをＯＳの上書きのように更新しながら、個々の事業内容を磨いていくのです。

私がそれに着手したのは、４年目に入るときでした。種をまき、水をやり、小さな花を咲かせる作業の積み重ねの先に、ようやく到達した感覚です。人は誰しも社会に出たとき、所属する組織のＯＳをインストールされます。「仕事とはこういうものだ」という価値観であり、その組織で生き抜くための掟

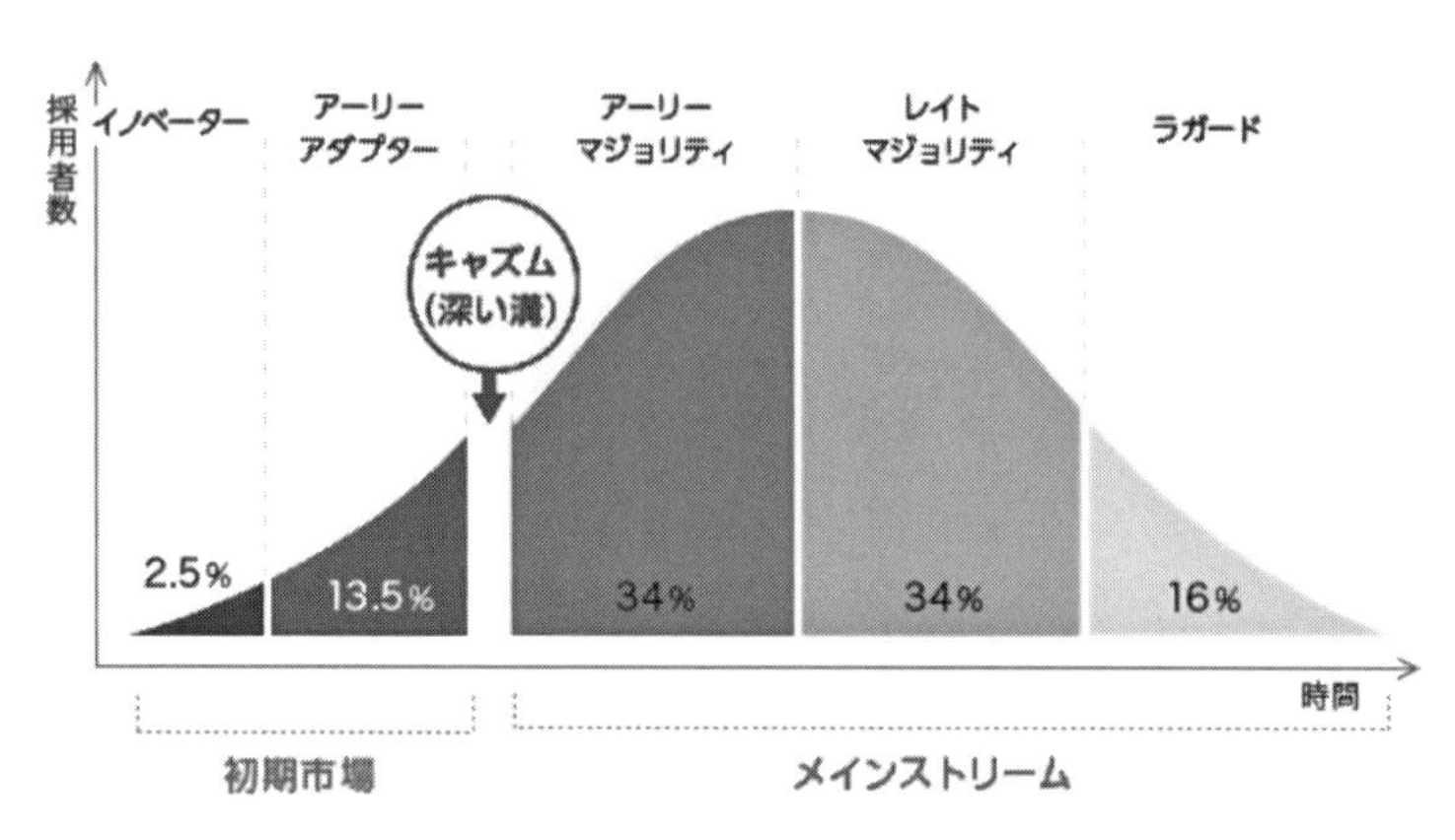

イノベーター（キャズム）理論イメージ

のようなものです。これに最も適応したものが保守本流として出世していきます。時代や環境の変化でＯＳの修正が必要になったとき、保守本流が抵抗勢力になりやすいのは官民問わず同じです。

私は企業や官庁などの組織へ入り何らかの「変革」を行うとき、心がけていることがあります。それは「小さく生んで、大きく育てる」ということです。いきなり仕組みや体制などＯＳの根幹に手をつけても、激しい抵抗にあい上手くいきません。個々のＯＳには今に至る歴史と必然性があります。まずは自らバイリンガルとなり、自身に入れて理解してみる。そこから始めるのが大切だと思います。つぎにトライアルとして「スモールサクセス」を生むような案件を創り、成果をテコに少しずつ水平展開させるようにしています。

その際は、まず「16％」の発見からスタートします。これは「イノベーター理論（キャズム理論）」の応用で、もともとはヒット商品が生まれる経過を分析したマーケティング理論です。新商品に飛びつく好奇心旺盛な16％（イノベーターとアーリーアダプター）が初期市場を形成するが、社会的ヒットとなるにはやや保守的な消費者層（アーリーマジョリティ）以降を動かさねばならず､両者を分かつ深い溝（キャズム）を超えられるかが肝要という考えです。これは組織が変革していくプロセスにも、そっくりそのまま当てはまると実感しています。

研修や打合せで、面白そうに目を輝かせている人を探し、彼らをリーダーにスモールサクセスを生み出すことから始めます。良い成果が生まれたら、組織の内外へ情報発信して評判をひろめ、同時にトップからしっかり褒めてもらいます。これを繰り返すことで、この組織で生き抜くための掟が変わりつつあることを浸透させていく。すると次のチャレンジには少しずつマジョリティの手が挙がるようになり、キャズムを超え組織全体の変革が加速していく。多少時間はかかりますが、真の変革にはそうした手順が有効だと考えます。

ブランドの魅力を高め、選ばれることとは、本来とてもワクワクすることです。「楽しむのではなくて、面白がることよ」という樹木希林さんの言葉のように、様々な努力や工夫も前向きで能動的な「面白がり」を大切にしたい、と思っています。

第9話

意志は地域で育まれる

〜意志なき若者だった私の「地域みらい留学」という挑戦〜

尾田 洋平
Oda Yohei

尾田 洋平
（おだ ようへい）

Profile

1986年島根県浜田市生まれ。島根県立浜田高等学校卒業後、2011年3月大阪大学大学院工学研究科ビジネスエンジニアリング専攻修了（工学修士）。2011年株式会社リクルート入社。2011年4月～2013年3月、自動車カンパニーにて関東エリアのディーラー営業担当（在籍中に分社化によりリクルートマーケティングパートナーズ所属）。2013年4月にリクルートライフスタイル旅行営業統括本部（観光情報「じゃらん」）に異動。長崎、鳥取（米子）、広島などの拠点で営業担当や中国エリアの営業マネジャーとして従事。その後、業務支援領域立ち上げ担当として営業推進部業務支援MDグループのマネジャーとして従事した後、2018年6月末卒業。2018年7月より一般財団法人地域・教育魅力化プラットフォームに入職。地域みらい留学の事業責任者として地域の特色ある高校に進学する「地域みらい留学」や都会の高校に在籍しながら高校2年生時に地域の高校に留学する「地域みらい留学365（さんろくご）」の立ち上げを実施。事業立ち上げの傍ら理事として経営全般を担当。2022年6月に大学院大学至善館修了（経営学修士）。2023年4月より専務理事。

人生ってこんなに自由でいいんだ！

私は２０１８年より、島根県松江市に本拠地を置く一般財団法人地域・教育魅力化プラットフォームで「地域みらい留学」に取り組んでいます。地域みらい留学は、自分が生まれ育った地域や偏差値の枠を越えて、全国各地の地域にある魅力的な高校へ進学し、３年間を過ごす国内留学の仕組みです。地域みらい留学について紹介する前に、私がリクルートで学んだことをお伝えします。

「自分の人生ってこんなに自由でいいんだ！」。これが、入社をして感じたことです。リクルートで出会った同期や先輩は人生を自分で選択して、自由に主体的に生きている人ばかりでした。島根県の田舎で生まれ育ち、偏差値というものさしに窮屈さを感じていた私は、衝撃を受けました。答えに早く正確に辿り着いて試験でいい点数をとる人が優秀、決められたルールに従順に従うことが大事、と育てられた私にとって、人生を自分で決め、社会や世界に働きかけ、変化を生むことを当たり前にしている同期や先輩の姿はとても新鮮でした。周りのみんなが「こんな夢を叶えたい」「こんな社会課題を解決したい」と熱く語り、アクションを起こすのを見て、人生は自分でつくっていけるものなんだ、自分で切り開くってこんなに楽しいことなんだと、世界の見え方が一気に変わりました。

人生に起こる〝きっかけ〟を大切にする文化

入社後に配属されたのは、自動車カンパニー（中古車情報誌「カーセンサー」）でした。同期100人の内、配属されたのはたった2名。リクナビやホットペッパーといった誰もが知るサービスではなく、勤務地も東京駅の本社ビルではない、少し古めの銀座7丁目ビル。内示を受けたときは、自分は期待されていないのだと落ち込みました。しかし、入ってみるとリクルートの良い文化が色濃く残る部署でした。ここでの2年間は、今の自分のスタンスや人としての在り方に間違いなく影響を与えています。

リクルートの良さは、それぞれの人生を尊重し、応援する伝統が文化として根付いていることだと思います。成長、お祝い、転機など、人生に起こる〝きっかけ〟を称賛し、応援する文化があります。「それでお前はどうしたいの？」というのが、リクルート時代に一番多く投げかけられた質問です。人生の「Ｗｉｌｌ（意志）」に向き合い「選択肢」をもって決断することは、素晴らしいことであり美しいことだと思うようになりました。

チープな地域活性化

入社3年目で、リクルートライフスタイル旅行領域（「じゃらん」）に異動しました。当時も今も、私の夢は、故郷である島根県浜田市の市長になって、元気なまちにすることです。「じゃらん」を希望したのも、観光や旅行についてビジネスの視点で学びたいと思ったからです。「観光を学んで島根に帰るぞ！」と強い思いで仕事に励みました。

しかし、仕事で地域の旅館やホテルを回って出会ったのは、会社の売上や利益よりも、地域の未来や担い手の育成を本気で考える経営者の方々でした。「観光で地域が有名になる＝人がたくさん来てお金を落としてくれる＝地域活性化」という自分の考えが、いかにチープだったかを思い知りました。100年先も持続可能な地域を本当の意味でつくるには「この地域の未来は俺たちがつくっていくんだ」という意志をもった若者の育成が最も重要であると実感しました。自分が本当にやりたいまちづくりは、地域の未来をつくる意志ある若者を育てることなのかもしれない。そんな思いが芽生え始めたのがこの頃です。

「教育　地方創生」と坊主頭

リクルートで得た「人生に意志をもつことが、人生を豊かにする」という実感が、地域の持続可能性につながっているのかもしれない。そんなことを考え「教育　地方創生」とパソコンに打ち込むと、グーグルが表示したのは島根県の離島・海士町で活躍する坊主頭の人でした。地元の島根にめちゃくちゃ面白そうな人いるじゃん！と、当時住んでいた長崎から会いに行ったのが岩本悠さんです。当時、悠さんは海士町で、廃校寸前だった隠岐島前高校の魅力化に取り組んでいました。そこで見たのは、高校が地域に開かれ、島がまるごと学びの場となり、地域の課題に大人、地域の子ども、都会からきた子どもが共に挑戦する姿でした。意志ある若者を育むとは、こういうことなのかもしれないと感じた私は、一度は海士町に行くことを考えましたが、当時の自分がすぐに行ける状態ではなかったことや、リクルートで学びたいことがあったこともあり、リクルートに残ると決めました。

5年の時が流れ、2016年。スマホに着信があり、画面を見ると「岩本悠さん」の文字。海士町で会って以来の連絡に恐る恐る電話に出ると「海士町の取り組みをこれから全国に拡げようと思ってる。一緒に未来を創ろうよ」と誘われました。意志ある若者を育んで地域の持続性に挑戦したいと考えていた私は、この誘いをすぐに受け入れ、今に至ります。運命的な再会に見えますが、今思えば、組織経営や事業開発と営業経験があり、給料が半分以下になっても島根に帰ってくる人というセグメントは、悠さんの電話帳の中に自分だけだったのかもしれません。偶然か必然か、島根に戻った私は海士町で惚れ込んだあの景色を全国へ広げ、日本各地で意志ある若者を育む魅力的な学びの土壌づくりへの挑戦を、悠さんと、共感してくれる仲間と共に始めることになるのです。

たどりついた先が「地域みらい留学」だった

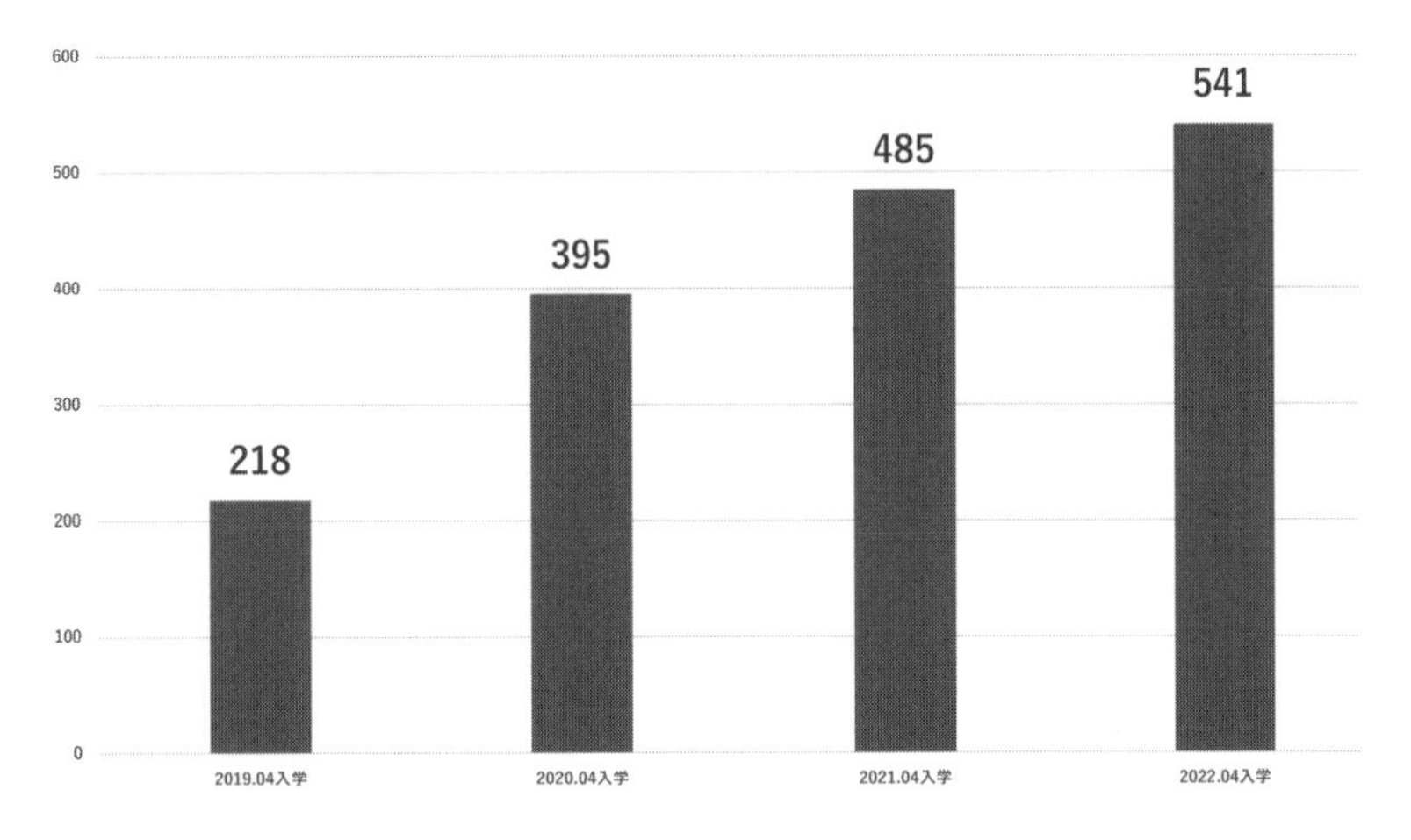

地域みらい留学生数（人）

「日本全国で意志ある若者を育むぞ！」と格好良く意気込んではみたものの、まったくの手探り状態からのスタートでした。高校が地域へ開かれた状態を目指すには、地域と学校をつなぐ存在であるコーディネーターを配置し、探究学習を通して若者の意志を育む方法がシンプルです。実際、立ち上げ当初も、コーディネーター配置と探究活動へリソースを投下しました。しかし、試行錯誤の結果、最も広がりを見せたのは「地域みらい留学」でした。

一般的に、公立高校に進学する場合は、「自宅から通えるエリアにあり、かつ、合格できそうな偏差値の高校」という基準で選ぶケースが多いと思います。地域みらい留学は、この縛りをなくし「全国の多様な地域から、自分が学びたい、暮らしたい場を選ぶ」という新たな選択を生み出しています。例えば、東京で生まれ育った生徒が島根県の離島の高校で学んだり、沖縄出身の生徒が北海道の高校で学んだり、ということが起きています。受け入れる高校、地域にとっては、全国から生徒を募集することで多様な背景をもつ生徒が集まり、地域に刺激が生まれます。

地域みらい留学の取り組みは年々増えており、２０２２年度は、全国32道県１００校が参画しています。地域みらい留学生の数も年々増えており、２０２２年度は５４１人が自分が生まれ育った地域外の高校で学ぶという選択をしています。また、２０２０年度からは高校２年次に1年間だけ留学する「地域みらい留学３６５」という制度もスタート

地域みらいに参画している道県（2022年度）

し、選択の幅を広げています。

これは、単なる国内留学でも、少子化で減少した生徒数を増やすことだけを目的にした取り組みでもありません。地域みらい留学を実施する高校は、地元の自治体やコーディネーターと協働して、魅力ある高校づくりに取り組みます。具体的な協働のかたちとしては、寮の整備や地域の人との交流の機会の

設定など地域全体で留学生を受け入れる環境づくりや、学校と地域が共に生徒の探究学習に伴走する体制づくりなどが挙げられます。

そして、高校を魅力化することで地域も魅力化するというのが、地域みらい留学の大きな特色です。地域の未来の担い手、意志あるつくり手を育てること、つまり、教育を通して地域の持続可能性を高めることも、地域みらい留学の重要な要素です。

「地域みらい留学」がなぜ広がったのか

地域みらい留学は高校存続という目的とセット

地域外の生徒を受け入れることは、高校の存続という目的に直結し、高校の存続は地域の存続に直結するため、ここまでの広がりを見せたと思います。

地域と高校の覚悟と本気を引き出す

あるコーディネーターが「生徒は地域みらい留学に行くという選択をしている時点で覚悟をしている。必要なのは大人の覚悟だ」と話していました。生徒の受け入れが決まれば、その地域を選択した生徒が本当に来ます。その生徒にとって地域での3年間が、人生で一度の高校生活になります。1人の生徒を

3年間を受け入れるのは本当に大変なことです。

ある生徒の留学先の決め手は「地域の大人が真剣に自分と向き合ってくれた」ことでした。この春卒業を迎え、今思うことを尋ねると、「まちの大人にしてもらったことが返せないくらいいっぱいあるが、大人はみんな『返そうとせずに次の世代に返してあげたらいいよ』と言ってくれる。だから、自分のこの経験を伝えていきたい」と話していました。

県外生、地元生、地域の人にとって良い刺激がある

地域外からくる生徒は、これまで当たり前だと思っていたことが、当たり前ではない環境に身を置くことで、多様な視点から物事を柔軟に捉えることができるようになります。地域の子どもたちにとっても、自分たちとは違う「風」が入ってくることで、気づきや変化が生まれます。地域みらい留学生の多くは、中学3年生の時点で自分が生まれ育った地域を出るという選択をした生徒たち、意志をもってアクションを起こした生徒たちです。こうした子どもたちの存在は、これまで同質性が高い環境で育ってきた地域の子どもたちにとって、刺激になります。

地域みらい留学は、地域にも変化をもたらします。コーディネーターからは、生徒が地域の広報誌に取り上げられたり、地域の活動に取り組んだりする姿を目にしたまちの人から、「来年も留学生来るの?」「今年はどんな子が来ているの?」「(留学生に)楽しんでもらいたいから、何かあれば言ってね」と声

をかけてくれることが増えてきたといった声が寄せられています。地域の人たちの間にも、高校生のために自分にできることがあれば協力したい、という意志が芽生えています。

知らないおばちゃんに怒られる日常がありますか？

高校を地域に開くことで生徒たちは、学校にとどまらず、地域をフィールドにして学んでいきます。地域みらい留学校のある地域の多くは、自然に恵まれ独自の文化・伝統が息づく反面、人口減少や少子高齢化、それに伴う諸問題など、日本が抱える社会課題が顕在化しているエリアです。生徒たちは地域の大人との対話や議論を通してそうしたリアルな課題に向き合い、課題探究型（解決型）学習に取り組みます。

ある生徒は「地域の良さは、関わる人の顔が見えること」、ある先生は「検索をすれば簡単に答えは得られるが、それは間接的な学び。直接的な経験に学びがある」と話します。顔の見える関係の中で、地域に見守られ、自分で手足を動かして経験した失敗や成功は、直接的な学びになります。

私たちは「地域は魅力的な教育環境である」と考えており、その最たる理由を「手触り感（のある社会）」と表現しています。自然が身近にあり、人との関係性が濃密で、リアルな社会課題が目の前に転がっている。知らないおばちゃんに怒られたり、うちで飯食ってけとご馳走になったりして、地域のいろんな大人と関わる。遠いどこかにある社会ではなく、実体験と接続された、自分の言葉で語ることができる社会を感じることができる。これは、普段の生活で関わる大人が限られている都市圏の高校生には、なかなか得がたい環境であり経験だと思います。

地域のこと、社会のことが自分ごとになると、「この課題をなんとかしたい」「現状を変えたい」という意志が湧いてきます。意志をもつことから次の一歩を踏み出しやすいのも、手触り感のある社会の特徴です。実際にアクションを起こすと、それに対して学校内外の人からリアクションがあります。褒められたり称賛を得たりすることもあれば、怒られたり失敗に終わったりすることもあるなか、厳しくも温かい目で見守ってもらえるのが地域の良いところ。学校を飛び出してチャレンジできる環境は、自己起点で考える姿勢を育みます。また、地域に愛着をもった若者には、この地域のために何かしたい、いつかこの恩を返そうという思いが生まれます。

それで、地域で意志ある若者は育まれたの？

地域みらい留学の取り組みをはじめて5年。今言えるのは、地域を舞台に地域の中と外の人が交わることで、自己起点のアクションが起こり、意志が育まれるのではないかということです。

地域みらい留学をする前は「他人と比較をしていたし、比較されていると感じていた」と話す高校生は、留学をして「過去の自分と比べようと思うようになった」と言います。行動を起こしてみたら、意外とできた経験から、他人との比較ではなく、以前の自分からの変化や成長に目を向けるようになったそうです。小さくはじめてみることができる地域では、最初の一歩を軽やかに踏み出すことができ、それがきっかけで小さなアクションがぽこぽこと生まれていくのが地域の良さであると感じます。

また、地域みらい留学校の生徒を対象にした調査では、興味深い結果が出ています。日本財団の「18歳意識調査 国や社会対する意識調査（2022）」によると、日本の若者は、未来がよくなると思っている割合や、社会は変えられると思っている割合がとても低くなっています。一方、地域みらい留学校の生徒の回答を見てみると、「私が関わることで変えてほしい社会状況が少し変えられるかもしれない（37・6％）」「うまくいくか分からないことでも意欲的に取り組む（75・8％）」と答えた割合は、全国平均に比べて高くなっています。地域みらい留学校で学ぶ生徒は、高校での学びや経験を通して社会への手触り感を得てきたからこそ、このような結果になっているのではないかと思います。

私たちがつくりたい未来「日本丸ごと一つの高校に！」

高校を地域に開き、学校と地域をつなぐコーディネーターの養成や持続可能な学校と地域づくりを通して、意志ある若者を育てる。これが「高校魅力化1・0」であるとして、私たちは今、次なる「高校魅力化2・0」の構想を描き、「みらいハイスクール」として検討を始めています。「みらいハイスクール」のコンセプトは、「日本丸ごと一つの高校に！」です。地域みらい留学に参画している高校はほとんどが1学年1クラスの小さな学校ですが、それぞれに特色があります。そんな学校や地域がつながり合い、大きな一つの学校になる。ないものは補い合い、あるものは共有して、学び合い共に創造する。そんなイメージです。高校を地域へ開く取り組みを進めるなかで、一つの地域ではできることや教育資源に限界があることも見えてきました。例えば、専門家や先生の数、高校生の取り組みに伴走する大人の数が限られます。しかし、複数の地域と高校をつなげばできることや選択肢が増えます。リソース不足であきらめていたことも、できる可能性が広がるのです。

「みらいハイスクール」では、学ぶ場所や学び方も、これまでの学校の常識とは異なります。オンラインで他の学校の授業を受けたり、同じテーマに関心のある生徒がオンラインでつながって探究学習をしたり、一緒に部活動をしたり。1年生は島根、2年生は沖縄、3年生は北海道と、学年ごとに学校・地域を越境しながら学んだり、1週間や1カ月など短期留学したり、旅しながら学ぶことだってできるようになります。一つの学校、一つの地域という枠組みを超えた多様な越境体験は、生徒にとっても出会いや挑戦の機会が増えることにつながり、意志ある若者を育てるという点でも、意味のあることだと考えます。さらに、共感していただける企業や大学、個人ともつながり合ったり、子どもに限らず大人の越境機会を生み出したりすることで、本当の意味での社会に開かれた学びを実現することができるのです。日本を丸ごと一つの高校にすることで、越境の選択肢が増え、挑戦する若者が増えていく。地域という垣根を超えて、日本全体で共創的に意志ある若者を育む、そんな地域づくりを目指していきたいと思っています。

人との出会いと生きた体験から生まれる意志

リクルート時代からこれまでのことを綴ると、美しく、戦略的で、すべてがうまくいっているような錯覚を起こしてしまいます。でも、リクルート時代も、初めてマネジャーになった時に社員全員から嫌われて行き詰まったり、仕事ができなくて毎晩悔し涙を流しながら帰ったりしたこともありました。地域・教育魅力化プラットフォームの経営も、教育と地方創生を事業にしていくことは大変難易度が高く、法人の通帳を見るたびに不安になったり、私が理由で組織を離れていく人たちがいたり、何度も何度も心も体も力尽きそうなことがありました。そのとき大事にしているのは、とりあえずやってみる。かたちを変えながらやってみる、ということです。リクルートの尊敬する先輩の「そこまで考えて、悩んで、ｇｏかｎｏ－ｇｏか悩んだらとりあえずｇｏやろ」という言葉は今でも心と体に染みついています。

私は「意志ある若者の育成と持続可能な地域・社会」を日本全体でつくっていきたいと思っています。こんなことを書くと、私の意志が高尚で当事者意識がものすごく高いように感じられるかもしれませんが、私はそんなに高尚な人間ではありません。この思いは、いろんな地域を訪問して、その地域の美味いものを食べながら夢を語り合い、馬鹿な話で盛り上がったり、人間には創れない涙が出るほど感動する自然を見たりして生まれたものです。地域の人たち、食や自然などその地域ならではの出会いを通して、一つひとつの地域が大好きになり、その地域を応援したいと思うようになりました。

意志は人との出会いと、五感をフルに使って感じた体験の両方があって育まれると思います。だからこそ、便利快適なオンラインでなんでも完結するこの時代に、現地に足を運んで、その人とその場で会って得る心情から湧き起こるものを大切にしていきたいです。地域みらい留学を経験して良かったと思うのは「『美味しかった』とう気持ちを、顔の見える相手にお金と言葉で届けられる地域に出会ったこと」だと話す高校生がいました。自分が大切にしたい人や景色、その場の匂いや感情を鮮明に思い浮かべることができる、リアルな体験を広げていく仕事を続けていきます。

第10話

地域の歴史を市民の宝に！トライアングルハッピーを作る

〜佐賀の八賢人とナイトウォークツアー〜

桜井篤
Sakurai Atsushi

桜井 篤
（さくらい あつし）

Profile

1965年水戸市生まれ。1987年早稲田大学第一文学部卒業後、大手旅行会社を経て1988年リクルート入社。求人広告コピーライティングを学んだ後、一度退社。取材記者の経験を積み1992年再入社。海外旅行情報誌「AB·ROAD」編集部を経て「九州じゃらん」編集長、「おとなのいい旅九州·山口」創刊編集長など、主に観光系、求人系メディアにて約22年間、効果を高めるクリエイティブとマーケティング面で寄与した。2009年退職後は、地域の現場で魅力を発掘するプロデューサーとして佐賀市の佐賀観光協会など観光現場の最前線に赴き、地域の歴史を掘り起し、寸劇やまちあるきの脚本を約100本執筆・提供。同市の歴史観光の礎を築いた。2013年には民間専門職採用として千葉市役所に入所。観光プロモーション課課長として同市のインバウンド戦略を立ち上げ、地方行政としては全国でいち早くモスリム（イスラム教徒）受け入れ施策を開始した。2020年期限満了にて退所し、活動の対象を全国に広げ地域の観光振興の担い手や若手観光コンサルタントを育成、支援している。現在、魅力発掘プロデューサー、脚本家、株式会社チェリー企画代表取締役、淑徳大学地域創生学部 地域創生教育研究センター フェロー、同コミュニティ政策学部講師、千葉経済大学経済学部講師等

著書に「まちの魅力を引き出す編集力」（同友館 2021年）。

Email:cherrybravo2001@yahoo.co.jp

HP https://www.cherrybravo.com

こういう人たちがいるなら、うまくいく

２０１９年1月14日夜。10カ月にわたり開催された「肥前さが幕末維新博覧会」の閉幕式を迎えていました。目標だった１００万人動員を大きく上回って２２４万人が来場。佐賀県が知事の号令のもと、総力を挙げて取り組んだ過去にない一大歴史イベントでした。檀上でマイクを握る山口祥義佐賀県知事の表情も晴れやかです。

その時、ふと知事の口調がしんみりと変わったかと思うと、私たちは予想もしないことを耳にしました。

「実は、このイベントをやるかどうかは最後まで迷っていました…。成功するかな？どうかなと？そんな時にたまたま訪れた佐賀城本丸歴史館で、この人たちが寸劇を熱演しているのを観て決断したんです」知事が私たちのほうを向きました。「大丈夫。この人たち、こういう人たちがいるのならうまくいくって」。

舞台を見上げ、あんぐり口を開けて驚いていた、私たち。

「そうだったのか…。ここまでがんばってきて本当に良かったな…」。

私たちは、ここに到るまで7年間、１回も休演せずに毎週日曜日、合計３４２日１７１０回の定期上演を行い、つい昨日、観客動員数６万６０００人を超えたばかりでした。

この章では、今も継続して、佐賀の歴史観光振興の貴重な担い手となったこの「幕末・維新　佐賀の八賢人おもてなし隊」（以下「おもてなし隊」）を、プロデューサー兼脚本家の私がどういう思いで生み出し活動を続けてきたのか？をお伝えすることで、元リクルートならではのまちづくりに向けた原動力を知る一助にしていただければと思います。

魅力発掘プロデューサーに

まずは、私がリクルートを退社して魅力発掘プロデューサーになった経緯を説明します。

プロフィールにもありますように私は、同社では、情報を採り入れ加工編集して読者に届けるメディア側の人間でした。入社前からもともと取材記者でしたから、現場が最も好きでした。しかし経験を積みデスクや編集長になると現場に出る機会が減少します。

すると、現場から上がってくる情報がやや退屈で「面白みを感じない」ようになったのです。それは、私が現場で行なっていた取材は、「提案型の取材」だったから。話を聞きながら、共感すること、面白く感じたことなどを相手に「もっとこうしたら」と提案していたからです。そんなスタンスでしたから、知らず知らずのうち、目の前の企画に前のめりになり、お客様の仕事が「自分事」になる。その結果を、持ち帰って、編集加工して世の中にお伝えして、「集客」を成功させてお客様にも喜んでもらう。一方、読者にも他の雑誌では紹介されてないオリジナルな観光体験を喜んでもらう。読者も喜び、お客様も喜び、私もうれしい。これが、リクルート伝統「トライアングルハッピー（三方良し）」です。

リクルートの雑誌は、お客様とともに「企（たくら）む」ことが醍醐味でした。編集部に鎮座して、記事が上がって来るのを待つのではなく、もう一度、現場の最前線に行きたいという気持ちが募った私は、いわば「楽しみを伝えるだけの編集者」から「楽しみを作りだす魅力発掘プロデューサー」になろうと決めたのでした。

「なぜに佐賀？」

そんな時に歴史物語作家・司馬遼太郎さんの「歳月」をたまたま読みました。同作品は、佐賀出身で、明治時代の初代司法卿、後に佐賀の乱を起こし、命を散らせた「正義漢」江藤新平が主人公です。そこには、彼が生まれ育った佐賀の風土が司馬さん独特の見識で描かれていました。これに大いに魅せられました。当時私は東京にいましたが「そういえば「九州じゃらん」時代5年間で、佐賀市には数えるほどしか行ってない」と口惜しく思いました。その頃は、「上がってくる記事ネタがつまらないものばかり」と感じていた佐賀への印象がこの「歳月」読書体験で、１８０度変わったのです！

「これは一度現場に行って、佐賀が放つ気分を体感せねば」とリクルートを退社。家族を東京に残し、求人を出していた佐賀観光協会で働くために佐賀に赴きました。

初日のおどろき

引っ越し初日にクリーニング屋を見つけたら、そこのおばちゃんが私の名前を聞いて驚いています。「さ、桜井さんって名前の人はほんとうにおるとね？」と。「テレビの中に出て来る人しか知らんもんね」と。

ところが、おばちゃんの胸名刺を見ると「杠」と書かれてあり、読めません。後で知ったら佐賀に多い苗字で「ゆずりは」。おばちゃん、あんたにだけは言われたくはないよ、って感じです。

そして、翌日の初出社。同僚に誘われお昼に入った小料理屋。美味しい煮魚定食に夢中になっている私たちの前に、ガラガラと扉をあけて入ってきたおじいさんは、なんと紋付き袴で頭に丁髷、腰に刀らしきものが。「こ、これは…」思わず隣の同僚を伺うと、彼はおじいさんをチラ見して軽く頭をさげただけ、また何事もなかったかのように煮魚をつつき始めたのです。「も、もしかして、これって佐賀じゃフツー？」と大いに驚きました。ちなみに、このおじいさん、野中弘義さんは後述するナイトウォークツアー第二弾のガイド役に「最後の葉隠（はがくれ）武士」として登場することとなります。

恵比須、化け猫、河童

昼食を終えたら、自転車で付近を視察に出かけました。最初に向かった商店街に不思議な看板を発見。イラストで猫の似顔絵が描かれてあり、「おかん」とか「ちびた」など名前らしきものも添えてありました。後にこのイラストを描いた方、商店街理事の中本さんは、ナイトウォークツアーや「おもてなし隊」の裏方として、大活躍してくれることとなります。

さらにその数日後。協会専務に教えてもらった神社に訪れたところ、「河童の木像をご覧になりたい方は作務所までご連絡ださい」と貼り札が。実はあまり時間がなかったのですが、「とりあえず見ておくか」と神官にお願いし作務所で対面した河童の木像が、「こ、これはどう見ても河童には見えない⁉」という異形だったのです。

そして、ふと気が付くと、まちのいたるところに、恵比須像が設置されていて、道行く人に微笑み返している。侍姿の一般市民に、猫に、河童、いたるところの恵比須像。なんだか、佐賀に来て早々衝撃が続く日々、ある飲み会の席で、既知の佐賀の化け猫伝説について話をしたところ、宴の卓の端っこにいた方が「あれは伝説じゃなかよ。化け猫を退治した家のご子孫、私の高校の同級生だもんね」と言うではありませんか？驚くべき佐賀。佐賀はなにかを隠している。

『佐賀のお城下ナイトウォークツアー』ができるまで

この4カ月後、これら驚いたことを1時間30分ほどのまちあるきにまとめたのが、『〜恵比須・化け猫・河童伝説〜　佐賀のお城下ナイトウォークツアー』です。

スタートは「龍造寺八幡神社」。その神社では、佐賀藩の若いはねっかえり者たちが、年に一度集い、国家の行く末を喧々諤々議論した史実がありました。江藤新平、大隈重信、大木喬任などなど。佐賀から日本に羽ばたいていった明治国家の礎を築いた賢人たちの大半が参加していた集まりで「義祭同盟」と言います。

〜恵比須・化け猫・河童伝説〜
佐賀のお城下ナイトウォークツアー

■第一弾

神社の境内に蝙蝠の姿が現れる頃、佐賀城下の歴史と伝説に彩られたナイトウォークツアーが始まる。紹介されるのは、この町に残る化け猫伝説、昼とは別の夜の恵比須の顔、狛犬の無念、そして河童の悲哀。商店街の人たちのおもてなしと猫たちの可愛い仕草に心を和ませたのもつかの間、一行が松原川につく頃には、周囲の闇はすでに深い。静寂を裂いて鴉が騒ぎ出した大楠の下、太鼓橋を渡った一行が見たものは・・。

2010年2・3月　全13夜

■第二弾

〜葉隠武士の深情け〜

前回のツアーは、準備中に怖ろしい事が2つも起こった。ツアーの継続を危ぶむ主催者側。その噂を聞きつけた一人の侍が用心棒を買って出てくれたのはいいのだが・・・。

出演：野中弘義さん

2010年10・11月、2011年2・3月　全49夜

■第三弾

〜河童の伝言・遠い笛〜

第二弾で「私にかまわず、先に行かれよ」と言い放ったのを最後に葉隠武士は消えた。それを知るや、また河童たちが蠢き出す。「あの川に近づいてはならない」という商店街の主人らの再三の制止を振り切って、750年前に彫られた木像の姿を確かめに行った一行が耳にしたのは・・・。

2011年7月〜9月　全11夜

■第四弾

〜430年目の武者供養〜

好評につき、この秋もやってくれ、と多くのリクエストを受けたナイトウォークツアー。企画のため歴史を調べていたある日、430年前にここで凄惨なだまし討ち事件があったことを知る。今も感じる討ち取られた侍たちの無念の魂。山の麓に住まう女琵琶弾きが鎮魂の調べで邪気を払おうとするのだが・・・・。

出演：北原香菜子さん

2011年10・11月　全8夜

■第五弾

〜水ぬるむ頃よみがえる賢人たち〜

佐賀城下ひなまつりが盛大に開催される早春。観光協会は第五弾の開催を決定する。しかしこれは丁度、河童が蠢きだす最も危険な時期。記念日にだけ蘇るという佐賀の八賢人を用心棒にしてツアーを強行するものの、河童の姿はない。無事終わるかと思ったその時、「あれ？お客様が一人少なくなってる・・・」。

出演：「幕末・維新　佐賀の八賢人おもてなし隊」2012年2・3月　全8夜

佐賀では、それら若者5人とその藩主鍋島直正、佐野常民をあわせて「佐賀の七賢人」と言われていましたが、郷土史家、福岡博さん（故人）だけが「義祭同盟」の主宰で若者らに「日本」に向ける目を開かせたカリスマ指導者、枝吉神陽を加えて「佐賀の八賢人」を提唱・紹介していました。私は福岡さんにお会いしてその意義に大いに共感し、「八賢人」でいこうと決めました。

ツアーは、夕闇迫る頃、この神社を出発して、このツアーのために地元の方に聞きまわって新たに作った「猫のエピソードスポット」を巡りながら猫の商店街を下ります。猫以外にも、地元で有名なある会社の社長を交通事故から救ったという噂のある恵比須を拝んだり、商店におじゃまして試食のもてなしを受けたりしながら、河童伝説のある松原川のほとりに到着。ここからはゴールの「松原神社」まで川沿いの暗い道を歩き、最後にあの異形な河童の像を目の前に見ながら、その無念の物語を聞くという内容です。

このまちあるきは、10回実施したところ、大変好評で「じゃ、2回目もやろう」「いや、2回と言わず、シリーズ化できるかな?」と協会、アルバイトの大学生たち、商店街の関係者らと盛り上がっていきました。地元のメディアも応援してくれて、地元では段々と知られるようになりました。そこで、第二弾以降は「恵比須・化け猫・河童伝説」と「商店街のおもてなしと猫のエピソードスポット巡り」を基本アイテムとした上で、プラスαの面白い話を毎シリーズ仕掛けて行こう、ということになりました。

佐賀の財産は、日本の財産！

江戸時代の佐賀（肥前鍋島藩）は幕末から近代国家に移行する際に重要な働きをした四藩（「薩長土肥」）のひとつと目されていましたが、それでもとても地味でした。なぜなら、薩摩の西郷隆盛、土佐の坂本龍馬、長州の吉田松陰や高杉晋作など、超スーパースター、千両役者がいなかったからです。しかし、佐賀に来て調べてみると、中堅どころの偉人がずらっといるではありませんか。明治の新国家建造時は、ほぼ佐賀人の独擅場だったといえるくらい各方面で功績があったのです。以下が代表的な8人（八賢人）です。

○大隈重信　総理大臣を二度務め、早稲田大学を作り、通貨「円」を作り、鉄道を敷いた
○江藤新平　初代司法卿として新しい時代の法律をほぼ一人で体系化した
○大木喬任　初代文部卿。子供や女性も学べる環境を作り、東京知事も務めた
○佐野常民　日本初の蒸気機関を作り、日本初の海軍を整え、日本赤十字を作った
○島義勇　北海道を探検し「札幌」の地を発見開拓。道内で神様と崇められる
○副島種臣　民間初の外務卿。「マリアルス号事件」を裁きサムライの心を西洋に知らしめた
○枝吉神陽　若者らに「藩より国を見よ。国のために働け」と諭したカリスマ指導者

○鍋島直正　優れた先見の明で、医学、産業振興、人材育成に多大な功績を残した藩主

冷静に考えると、これはすごいことだと思いませんか？

彼らは皆、この城下町で、遊んだり学んだり喧嘩したりして、後に世に羽ばたいていったことを知りました。それ以来「佐賀の財産は、日本の財産」と機会あるごとに語り、活動に弾みをつけ、協力者に理解を求めました。

できることは二つあると考えました。

一つめのキーワードは「網羅」。二つめは、「佐賀は「群像」で売る」。順に説明します。

バッジ売りの中年

これだけの賢人がいたのだから、彼の業績を結集したら新しい価値が生まれる。そう考えた私はカレンダー作りを思いつきました。３６５日すべてが埋まれば、それは佐賀の歴史観光の今後を左右する貴重なデータベースになるなと。例えば、歴史館のガイドさんが、「今日は大隈重信がみんなが使っている「円」を作った日なんですよ」とか、その日のエピソードを語るようになると、観光客も「すごい日に来たんだね！」と記憶に残って喜ぶ。ガイドさん自身も事前に調べれば楽しみにつながる、と考えま

した。

それで、オンの日オフの日を問わず、時間を見つけては図書館に行き、佐賀の史実の日を調べ、365個のマス目に打ちこんで行きました。コツコツと地味で孤独な作業も1年半かけてついに完成。「佐賀暦」と名付けました。

地元新聞で紹介され話題になり、ご要望を受けて観光振興の担い手に配りました。その後、歴史館では、「今日は○○の日」などと紹介されるようになり、私自身が企画したまちあるきも、「○○年前のまさに今日、ある悲惨な事件がここで起こりました」などと、その日だけの脚本をもとにした寸劇入りで実施し、観光客の「一期一会」感を高める素材になりました。

もう一つ網羅したのは、「お仕事・進路」面です。前述の賢人の紹介でもお分かりの通り、賢人の業績は、各学問分野、行政分野に及んでいたため、これを大学の「学部別」と「仕事別」に分けられるなと感じました。そこで作ったのが、「賢人バッジ」。メッセージは「あなたの選んだ学問分野や目指す仕事の先には、必ずその分野で功績を残した佐賀の先輩がいる。だから誇りを持って自分の選んだ道を歩んで行って」という、佐賀を離れる若者たちを応援したい願いを込めました。このバッジを持って、受験シーズンに予備校に赴いて、ブースを出展。雪ちらつく中、足早に過ぎる学生に「一個100円です、買ってください」とやりました。マッチ売りの少女ならぬ「バッジ売りの中年」。1万個売りました。

この「佐賀暦」と「賢人バッジ」には、地味な存在の郷土の偉人の中から、自分に関係がある人に気づいてもらい、あわせてそんな偉人を生んだ佐賀を好きになってもらう、いわば「シビックプライド」をもってくれたらという考えがありました。

「早稲田の大隈」から「佐賀の大隈」へ

佐賀の八人の賢人たちの業績を調べていて最初に気づいたことは、彼らは一人ひとり、お互いに関係のない人生を送ったのではなく、子どもの頃から亡くなるまでそれぞれがお互いに関係しあってきたという事実でした。これは、ストーリーにしやすい条件でしたので、一人ひとりにフォーカスするだけでは見えてこない、彼らの様々な関係性こそを歴史観光の肝にしようと考えました。なぜなら、彼らは同じ佐賀の空気を吸って育っているので、その関係性の中にこそ、まだ浮彫りにされてない「佐賀らしさ」が秘められているのではと考えたからです。「早稲田の大隈」をいかに「佐賀の大隈」にするかです。

佐賀の8人の賢人のうち6人が関係した、佐賀の思想的秘密結社「義祭同盟」で、カリスマ指導者、枝吉神陽が集まった若者に伝えたかったことは何か？その門下生たちが、新国家建造時に直面した際にとった決断の奥底にある共通の「想い」とは何か？佐賀図書館にあった200冊以上の本にあたった私は、それを「人道主義」と観取しました。これが「佐賀らしさ」なのかなと考え、歴史劇の脚本や、まちあるきのシナリオとして、冒頭の「肥前さが幕末維新博覧会」や各種イベント、佐賀城本丸の定期上演を通し、史実をもとにした群像劇として約１００本の作品に仕立て「佐賀らしさ」を伝えてきました。

ナイトウォークツアーの継続発展

さて、ナイトウォークツアーは、集客的にも評判的にも好調な出足となり、参加者満足率は平均で93%を記録しました。参加者のみならず商店街の皆さんや神社の関係者にも大層喜んでいただけました。そこで、第二弾から第五弾まで季節を選んで実施することができました。

佐賀に行くなら日曜日！

その第五弾で、ツアーのサブガイド役をした8人によって組織されたのが、冒頭で紹介した「この人たち」こと「おもてなし隊」です。

地域の観光振興を促進する役者集団を結成しようと考えた理由は「ガイドはエンターテイメント性が必要」と思っていたこと、さらに「地元の歴史寸劇を地元の役者が演じ、それをブラッシュアップしていくことで、地元の文化的財産となる」と考えたからです。そういう話を、知己を得た佐賀市生まれの演劇家・青柳達也さんに熱く語ったところ、彼自身も市内で演劇活動をしているなかで、演劇で地元佐賀を盛り上げたいと思っていたとのことで、意気投合。

青柳さんが地元の役者を7人集めてくれ、彼を含む計8人の歴史寸劇ユニットを結成、このナイトウォークツアーでデビューしたのでした。

私はその直後、ナイトウオークツアーの第五弾が終わったほぼ同時期に、観光協会の在職任期が切れましたので、まさに佐賀在住のタイムリミットぎりぎりで、この、今も続く歴史観光の担い手を創出できたと言えます。

このユニットを佐賀に定着させるために、私は観光協会を退職しても佐賀に1年あまり留まり、佐賀県はじめ各イベント主催者からの要望を受けて、脚本を書き増やし、稽古をして、本番を迎え上演をすることを繰り返していました。

そんなある日、「佐賀城本丸歴史館で上演したいな～」と役者からの要望を受け、県の事業補助制度を使って始めたのが「一日5回上演する日曜恒例の歴史寸劇」です。

この日曜恒例歴史寸劇を立ち上げ、発展させるにあたって、私はプロデューサーとして、リクルートで学んだ取材技術、編集技術、チームマネージメント技術、マーケティングとプロモーション、ブランディングなどすべての技術を総動員しました。そして、日曜日の定番イベントとして市内外の方の認知を高め、2022年9月には10周年を迎えるにまで至りました。私自身は10周年を一区切りと考え、その直前の7月末で同隊のプロデューサー兼脚本担当を退き、後を地元のスタッフと役者に託しました。

現在11年目を迎えてコロナ禍を乗り切り、より一層がんばっている「おもてなし隊」。ぜひ佐賀に日曜日に訪れてみてください。

ささやかな妄想

「佐賀はなんもなか」と佐賀人はよく自嘲気味に言っていました。

私はそのたびに未来のあるシーンを妄想していました。

佐賀の女の子が大学に入って、アメリカに留学する。寮のルームメイトに「日本のどこから来たの？」と尋ねられる。彼女は佐賀を知らないその友達に「うちのまちはね、日本を作った偉人が多く出たんよ、で、私は日曜日になるとお城に駆けて行って、そのお芝居を見て育ったんよ」って。「楽しかったなぁ」って。

日本の地域にはまだまだ埋もれたままの魅力があると思います。それら、（もの、歴史、人）を発掘し魅力を磨き上げ、観光客にも、迎え入れる側にも、そして末永く地元の人の「誇り」として喜んでもらう、リクルートで学んだ「トライアングルハッピー」。

今後も日本全国で一カ所でも多くそんなトライアングルハッピーを実現したいと思います。

第11話

産学連携の「学びの場」で変革当事者のコミュニティを創造する

～ Oita イノベーターズ・コレジオによる人材育成から始めるまちづくり～

碇 邦生
Ikari Kunio

碇 邦生
（いかり くにお）

Profile

大学卒業後、民間企業を経て、神戸大学大学院経営学研究科へ進学し、日本とインドネシアにて「ビジネスにおけるアイデア創出」の研究を行う。

2015年に株式会社リクルートホールディングス・リクルートワークス研究所へ入社し、主に採用と人事制度の実態調査を中心とした研究プロジェクトに従事。2017年から大分大学経済学部で人的資源管理論の講師を務める。2022年に大学発シンクタンクの合同会社ATDIを創業し、教職に就く傍ら代表も務める。

2023年からひらめき財団の評議員に就任。

リクルートを退職して大分に来た理由

私がリクルートを退職して、大分に赴任した最も大きな理由は「東京と比べた時に地方の若者のキャリア観が時代に即していない」という問題意識からでした。２０１７年12月中旬に、リクルートワークス研究所を退職して、大分大学の教員として赴任しましたが、地方国立大学の教員という立場は「若者のキャリア観の更新」という目的に合致していました。

人材育成は、私にとって重要なテーマです。リクルートに入社する前の大学院生時代にも、神戸大学出身の経営者の皆様と協力して起業家精神育成ゼミナールの立ち上げと運営をご一緒させていただきました。そのほかにも、大学院生時代には学術と実務の双方で数多くの人材育成のプロジェクトに携わってきました。

リクルートでも「人事プロフェッショナル研究会」という、若手人事を対象とした勉強会を主催しています。

これらの経験を活かして、課題解決に取り組もうと転職を決意しましたが、大分に来ると解決すべき課題は学生だけではなく、至る所にあると痛感します。問題を解決するためには大学の中だけで閉じていてはダメだということで、産学連携での取組みを模索しました。

そこで、幸いなことに株式会社ザイナスグループ　代表取締役会長の江藤　稔明氏とキャリアカウンセ

ラーの山崎　美和氏とお会いし、変革人材を育成するための学びのコミュニティ「Ｏｉｔａイノベーターズ・コレジオ」を立ち上げることができました。

学びを通した地方変革のコミュニティ作り

Ｏｉｔａイノベーターズ・コレジオは、２０１９年から、株式会社ザイナスグループが主催している「公募型研修プログラム」と「卒業生専用オンラインサロン」で構成されます。

「公募型研修プログラム」

「公募型研修プログラム」の基本的な構成は、企業での変革人材の育成に実績のあるプロフェッショナルをゲスト講師としてお呼びし、全10回のオムニバス形式で実施しています。これまで登壇いただいたゲスト講師は表1の通りです。

受講対象の主な対象として、４つのターゲットを設定しています。

第1のターゲットは、企業で働く管理職手前の若手社員です。社内の業務を一通りこなすことができるようになり、次のステップとして既存の枠組みにとらわれない発想や挑戦が求められる次世代リーダ

Oita イノベーターズ・コレジオに登壇いただいたゲスト講師一覧 表1
石川 貴志氏（社団法人ワークデザインラボ　代表理事）
石山 恒貴氏（法政大学大学院 政策創造研究科 教授）
伊藤 羊一氏（Z アカデミア　学長）
鵜川 洋明氏（ミラクカンパニー株式会社　代表取締役）
海渡 千佳氏（FLOW CREATION Inc.　取締役副社長）
樫野 孝人氏（かもめ地域創生研究所 理事）
梶川 文博氏（経済産業省）
唐澤 俊輔氏（Almoha LLC　共同創業者 COO）
源田 泰之氏（ソフトバンク株式会社 人事総務統括 人事本部 副本部長）
酒井 章氏（株式会社クリエイティブ・ジャーニー 代表取締役）
重本 祐樹氏（福岡女子大学　講師、ケンブリッジ大学　PhD.）
志水 静香氏（株式会社 Funleash CEO 兼 代表取締役）
島田 由香氏（ユニリーバ・ジャパン・ホールディングス株式会社、取締役 人事総務本部長）
高橋 ゆき氏（株式会社ベアーズ 取締役副社長）
出口 治明氏（立命館アジア太平洋大学　学長）
中尾 太一氏（株式会社 PLEIN　代表取締役）
根本 かおり氏（株式会社博報堂　ストラテジックディレクター）
野呂 エイシロウ氏（放送作家、コンサルタント）
平原 依文氏（HI 合同会社 代表）
ピョートル・フェリクス・グジバチ氏（プロノイア・グループ株式会社 代表取締役）
本間 正人氏（京都造形芸術大学　副学長）
森本 千賀子氏（株式会社 morich 代表取締役）

（五十音順、肩書は登壇時）

ーがイメージです。

第2のターゲットは、公務員です。特に、DXやGX、ダイバーシティの推進など、時代の変化に対応して地方がどう変革すべきかを考える担当部署の方を想定しています。

第3のターゲットは、中小企業の経営者です。特に、ご参加いただいてきた経営者の皆様は、学んだことを活かして新たな事業展開や地方活性化のプロジェクトをスタートさせるなど、具体的なアクションに結びつくことが多いです。

第4のターゲットは、地元の学生です。地方活性化や学生起業など、起業家精神と挑戦心に溢れる高校生と大学生を募集しました。

原則として有料のプログラムとなりますが、学生だけは無償で参加できるようにしています。このことは、学生を参加させることで、受講生の固定概念を崩し、水平的思考を促す「ダイバーシティからイノベーションを生み出す」体験を狙っているためです。

受講生の割合としては、約半数が企業から派遣いただいています。個人参加のビジネスパーソンや企業経営者、フリーランサー（個人事業主）、公務員が3割を占め、残す2割が学生参加者です。おおよそ、25～40名が受講生の総数となります。

これまでに本プログラムは第1期から第4期を実施してきました。新型コロナウイルス感染症の影響で、第1期のみを対面で行い、第2期～第4期はオンラインとなっています。オンラインでの実施となったことから、地域を問わずに参加申込みをいただいています。

「卒業生専用オンラインサロン」

Ｏｉｔａイノベーターズ・コレジオでは、継続的な学びの場と変革を援け合うコミュニティとなるようにフェイスブックグループを活用した完全招待制のオンラインサロンを用意しています。このオンラインサロンでは、卒業生がお互いの活動を報告し、イベントの告知やプロジェクトの仲間を募るツールとなっています。また、卒業生を対象としたセミナーなどのイベントを不定期で開催しています。

オンラインでのコミュニティの目的は２つあります。１つは、フランクなコミュニケーションから家庭や職場にはない「第３の場（サード・プレイス）」として交流してもらうことです。もう１つは、セミナーや卒業生の活躍を共有することで「変革の当事者として学んだことを風化させない継続学習」という狙いを持っています。

Ｏｉｔａイノベーターズ・コレジオが解決する３つの社会課題

Ｏｉｔａイノベーターズ・コレジオの活動を通して、解決を目指している社会課題は主に３つあります。

1つ目の社会課題は、本章の冒頭でも書いたように若者のキャリア観を更新することです。地方の高校生や大学生は、キャリアに正解があると考える傾向が強いです。例えば、「国公立大学に入学して、地元の公務員や地方銀行に就職したら将来は安泰だ」という考えです。

しかし、キャリア論の考え方に立つと「どこに所属するのか」という考え方は危険で、「自分が何をするか」が大切になります。

「地方を変革する人材を育てる」というＯｉｔａイノベーターズ・コレジオは、学生にとっても自分が住んでいる地元の社会課題を取り扱うので実感が湧きやすいです。同時に、企業で活躍するビジネスパーソンや公務員、中小企業の経営者と接することで、自立したキャリア観を持つようになります。そのため、プログラムを通して協業した企業へ就職するケースも多いです。

2つ目の社会課題は、地方の中小企業の変革人材を育てることです。企業が持続可能な発展をするためには、ビジネス環境に適応するために変化し続けることが求められます。

しかし、変化は簡単にはできません。その原因の1つとして、社内に「変化」を経験したことのある社員がほとんどいないという人材上の問題があります。

日本企業の人材育成は、企業内教育（ＯＪＴ：On - the - Job - Training）に重点が置かれていると言います。ＯＪＴには他社が模倣困難な企業内特殊性を高める利点がありますが、仕事で経験しないことは覚えられないという限界があります。ＤＸやＧＸ、ダイバーシティ推進など、現代のビジネス環境ではこれまで経験したことのない変化に対応しなくてはなりません。そのためには、「変化にどう対応すべきか」について社外で学ぶ必要があります。

3つ目の社会課題は、コミュニティという場を提供することで「挑戦する人を孤立させない」ということです。変革の主体となって挑戦する人を増やし、変革を推進するためには、一つの組織に留まらない異業種のメンバーで構成されたコミュニティが重要な役割を果たします。例えば、ロンドン東のアーティスト・コミュニティや中国の深センのメイカーズ・コミュニティ、エストニアの若手スタートアップ・コミュニティは世界的にも有名です。

しかし、日本のビジネスパーソンは人間関係を社外にまで広げることに消極的です。リクルートワークス研究所の国際比較調査『マルチリレーション社会』（2020年）によると、日本の回答者は比較対象の4カ国（米国、フランス、デンマーク、中国）と比べて、人間関係が家族と職場に集中していると言います。特に、国際比較では社会に出てからの人間関係が広がらないという日本の特徴が浮き彫りになっています。

変革を推し進めるためには、多様な価値観を受け入れることで視野を広げ、発想に多様性を持たせることが重要です。しかし、同じ職場の仲間としか交流がないと、似たような価値観の中で世界が閉じてしまいます。

社外に人間関係を作るときに有効な手段が学びの場に参加することです。社外研修や異業種横断の勉強会、ＭＢＡなどの学びの場は、新たな専門知識を身に付けることと同じか、それ以上に、同じ興味関心や問題意識を持った仲間を見つけることに価値があります。

これら3つの課題を解決するために、Ｏｉｔａイノベーターズ・コレジオでは多様な参加者からなる研修プログラムを提供するとともに、修了後もコミュニティで継続的な交流を行っています。

変革を促す学びのメカニズム

Ｏｉｔａイノベーターズ・コレジオの研修では、「何か新しい事業を立ち上げた経験がない未経験者」から「多少は経験があるが変革というには新規性や影響力の大きさで十分ではない」という受講生を想定して3つの学習目標を立てています。

1つ目の学習目標は、「自分が変革の当事者なのだ」という当事者意識を持ってもらうことです。リクルートでは圧倒的な当事者意識が求められる文化がありますが、このような考え方は変革人材の基礎となることが経営学でも明らかとなっています。

有名な理論としては、ＩＤＥＯの創業者兄弟であるトム・ケリーとデビッド・ケリーの提唱する「創造的自信（Creative confidence）」があります。彼らは、革新を生み出す背景にある最も重要なこととして、一人ひとりが自身の持つ創造力を信じることができている状態にあるかどうか」だと言います。

まずは、自分にはできるのだという自信がなければ変革を起こすことはできません。しかし、人間は初めてやることや不慣れなことに自信を持つことは難しいです。そのため、研修プログラムという練習の機会を設けることが大切になります。

2つ目の学習目標は、小さな成功体験を積み重ねていくということです。全10回で構成されるプログラムは、3つのステージに区切られています。

第1のステージでは、「自分にも変革を起こすことができるのだ」というマインドセットを身に付けます。変革人材の育成について、理論と情熱を持った指導者から直接薫陶を受けることで「自分もできるのではないか」というワクワクとした気分の高揚と受講に対する前向きな姿勢を整備します。

第2のステージでは、「変革とはどのようなものかを理解する」ことを目的として事例学習をします。例えば、「SDGsを意識した事業を考えよう」という言葉を聞いたことがあっても、実際にどのようにしてSDGsと事業を結び付けるのかを考えることは簡単ではありません。そこで、実績のある専門家を講師として迎え、これまで取り組まれてきた事業の事例や、発想に至ったプロセスについて学びます。

第3のステージでは、「疑似的なプロジェクトチームを作り、変革の事業アイディアを考える」ことです。ここではただ考えるのではなく、2つのギミックを設けています。

1つ目のギミックは、2つのアイディア創出（未来洞察とビジョンワークショップ）の手法を学び、

段階	ステージ1 マインドセット		ステージ2 事例学習			ステージ3 疑似的なプロジェクト			
	第1回	第2回	第3回	第4回	第5回	第6回	第7回	第8・9回	第10回
内容	学習内容の理解と学習目標の確認	0から1を生み出す事業アイデア	新規事業実現のためのリソース獲得	チーム作りと周囲の巻き込み方	地域の課題を解決する	未来洞察ワークショップ	ビジョンワークショップ	バーチャル合宿 地方活性化プロジェクトを立ち上げる	最終発表会
学習の狙い	前向きな姿勢を整備する		事例学習から模倣する			疑似的なプロジェクトチームで成功体験を積む			

Oitaイノベーターズ・コレジオの「小さな成功体験を積み上げる」ための3つのステージ 図1

自分たちなりに2つの手法を組み合わせて事業アイディアを考えます。2つの手法を通して、「自分独自の問題意識を持つこと」「問題意識をビジョンとして明確化すること」「ビジョンを達成するための論理的思考」という3つを学びます。

2つ目のギミックは、「プロジェクトの前提を問うような厳しいフィードバック」です。最終発表会の前に中間発表の機会を設け、そこで講師から故意に厳しいフィードバックを受けます。この狙いには2つあります。1つは、問題意識の前提を問うようなフィードバックを受けることで、自分たちの問題意識についてより深く掘り下げてもらいます。もう1つの狙いは、発想のスケールを大きくすることです。私たちの思考は特に意識をしないと、新しくて創造的なことを考えるよりも、ミスをせずに現実的なことを考えることを優先し、重要であると考える傾向にあります。そのため、より革新的でスケールの大きなビジョンを描くように講師からフィードバックを受けることで、小さくまとまってしまいがちな思考を創造的な思考へとシフトさせます。

これら3つのステージをまとめると図1のようになります。

最後となる3つ目の学習目標は、価値観も常識も全く異なる多様なメンバーとの協業を通して、多様性からくるストレスに耐性を付け、違うことを楽しむマインドセットを身に付けてもらうことです。

特に、地方活性化やまちづくりのように多様なバックグラウンドを持つ参加者が多い活動では、お互いの違いに強いストレスを感じます。例えば、よく聞かれる声は「みんな忙しい中で時間をやりくりしているのに、Aさんだけがミーティングにもほとんど参加しないし、やる気を感じない」というものです。

また、学生も参加することでチームの中で能力のバラツキが生まれ、自分の立ち位置や貢献の仕方を考えなくてはなりません。自分ができることや周囲を観てやるべきことを判断して、立ち振る舞う自律的な思考が試されます。

このような、職場では得ることが難しいダイバーシティからくる高ストレス環境を経験し、乗り越えることが一皮むけた経験に繋がります。多様なメンバーの違いを理解し、そこから最善の事業アイディアを導き出す過程を通じて、個人ワークや似たような価値観のメンバーだけでは考えることができなかった独創的なアイディアを見つけ出すことができるようになります。

O-itaイノベーターズ・コレジオの研修効果

Ｏｉｔａイノベーターズ・コレジオの研修プログラムを通して、受講生にどのような変化が確認できたのか。研修効果については、心理学の手法を用いて検証をしています。

具体的には、２０２０年に実施した第２期生を対象として、研修の受講前と受講中（第5回が経過した後）、受講後という3時点でテストを受講してもらい、得点の差が確認できたのかを確かめています。テストとして用いている尺度は2種類あり、5つの行動特性について5件法で質問するコンピテンシー測定テストと簡単な事業アイディアを書いてもらい、それを複数人の採点者で評価するアイディア評価テストを実施しました。

その結果、コンピテンシー評価で測定した5つの要素（「変化への認知面での備え」「変化への感情面での備え」「主体的行動」「自己効力感」「イノベーターとしての自覚」）の全ての指標でスコアの向上が認められました。また、アイディアテストの評価でも同様に3つの要素（「独創性」「社会課題の解決」「総合評価」）のすべての要素でスコアの上昇が確認できています。特に、統計分析（一元配列分散分析）の結果でも、著しいスコアの向上が確認されたのは3つの要素（「主体的行動」「アイディアの独創性」「アイディアの総合評価」）でした。

このことから、本研修プログラムを通して受講生は変革に対する認知能力に向上が認められただけではなく、実際に発想するときに独創的で革新的なアイディアを考え出す能力を身に付けることができた

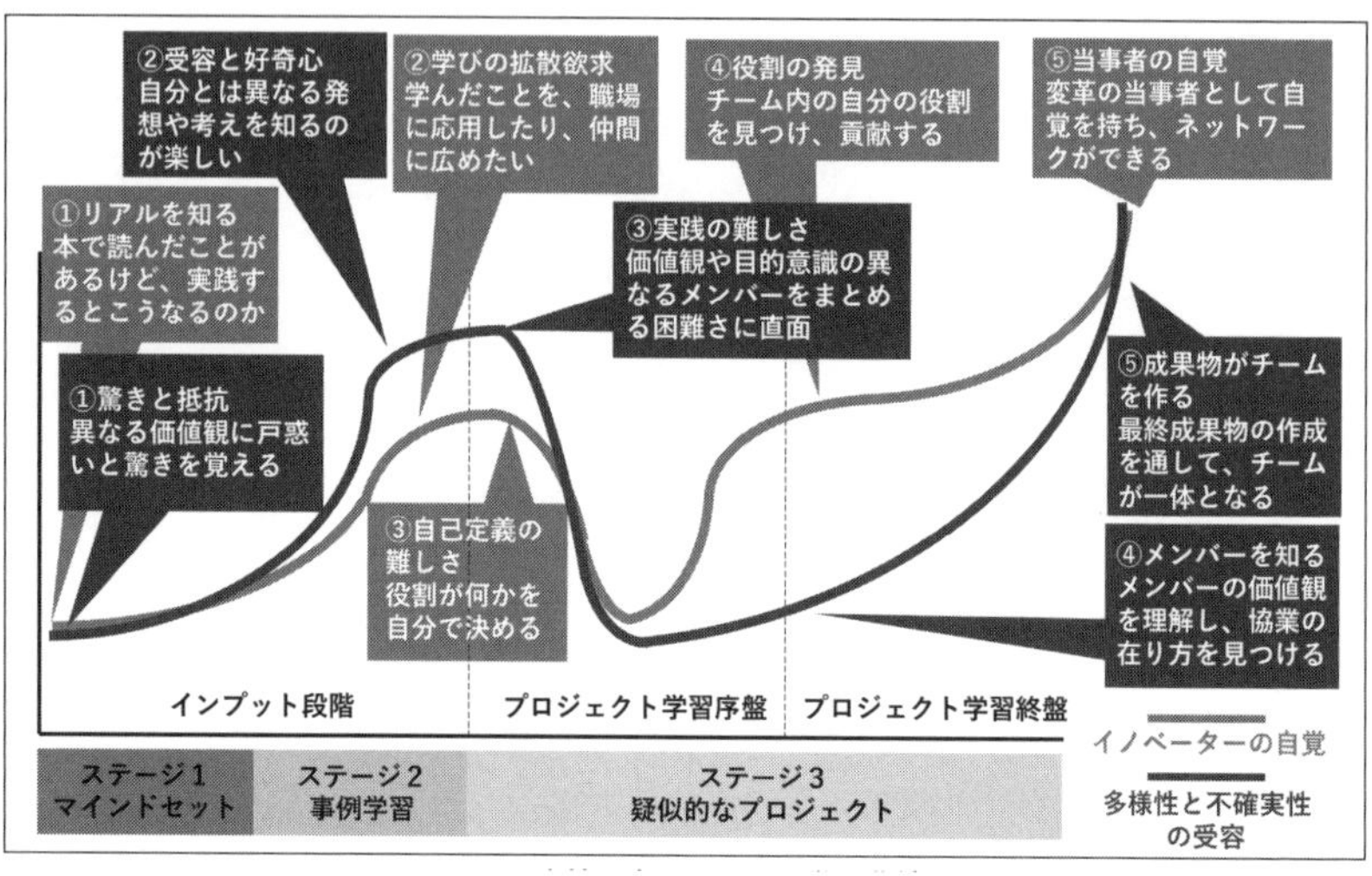

定性調査からみえた学習曲線 図2

と考えられます。

また、同時に、受講生に対してどのような学びを得たのかについて、ヒアリング調査を実施しました。そこから、受講生は「イノベーターとしての自覚」と「多様性と不確実性への受容」について、学びと葛藤を繰り返しながら学習体験を得ていることがわかりました。

このヒアリング調査からみえた学習曲線が図2の通りです。

この学習曲線からは、ステージ1とステージ2のインプットの段階では順調に学習が進んでいるものの、実際にプロジェクト学習が始まるステージ3で大きな壁に直面することがわかります。しかし、ステージ3の厳しい状況を乗り切ることで、飛躍的な学習効果を得ることに繋がっています。

「学び」と「仲間」で変革リーダーの人材輩出都市を目指す

4年間の活動を通して、Oitaイノベーターズ・コレジオの卒業生も140名を超えました。卒業生からなるオンラインサロンも110名以上がアクティブなメンバーとして交流を続けています。このプログラムとコミュニティを通して、新たな事業も立ち上がりを見せています。特に、成果として出てきやすいのが学生です。

第1期生として参加した女子学生は、2022年に別府市で韓国スイーツの「クロッフル屋」を創業し、創業1年目から客足の途絶えない繁盛をみせています。そして、2023年には新たな事業を始めるべく、ビジネスプランコンテストに挑戦をしています。また、同じ第1期生では、オンラインゲームを共に遊び仲間を見つけるマッチングアプリを開発し、ベンチャーキャピタルから資金調達をしてスタートアップ企業を立ち上げた男子学生もいます。

第2期生では、より直接的にOitaイノベーターズ・コレジオの最終回で発表した事業アイディアを実現に移している学生もいます。同じチームを組んだ別府の旅館経営者と学生が、現在は老朽化のために使用していない宿泊施設を再活用して、「学生起業を志す学生が集う、シェアハウス&コワーキングスペース」を始めています。

第3期生では、起業だけではない挑戦を始めた学生もいます。本プログラムを通して日本の酪農ビジネスを世界水準に引き上げたいという志を持ち、農業経営で世界最先端をいくドイツの大学院への進学を決めました。

2023年2月に修了した第4期生でも、既に2名の学生受講生が起業のために準備をしています。

このように学生が起業や留学のような挑戦ができるのは、プログラムで学んだという以外に周りの社会人受講生からの支援も大きいです。何か挑戦しようというときに、人を紹介してくれたり、助言をくれたりという社会人が周りにいることで学生が挑戦しやすい環境ができます。

また、社会人受講生からも目に見える成果が出ています。第1期生の女性経営者は新規事業を立ち上げ、大分県内の主要なビジネスプランコンテストで数々の受賞を得ています。また、大分市議会議員として政界に進出した受講生もいます。

企業から派遣された受講生も、送り出した企業から高評価をいただいています。特に、多くの受講生が新規事業開発や組織変革を推進する部署で活躍し、学んだことを実践に活かしています。

地方都市の良いところは、規模の小ささにあります。140人規模のコミュニティは、東京都内だとインパクトがありません。しかし、労働人口が約23万人の大分市で140人規模のコミュニティというのはインパクトが異なります。そして、「学び」と「コミュニティ」を組み合わせることで、学びの回数を増やせば増やすほど、コミュニティは継続的に大きくなります。

地方にいると変革の主体者は地元の人間ではなく、東京などの外部の人に頼る考えを持ってしまいがちです。しかし、変革のために必要なすべての活動は人材が起点となります。その地域に住む人々が問題意識を持ち、変革の当事者として意識を持っていかなくては未来を創ることは困難です。そのためにも、「学び」と「コミュニティ」という2つの車輪を回すことで、変革の当事者意識を育むことができるのです。

特別寄稿

忖度一切なし! 真の公民連携プロジェクト『新潟ガストロノミーアワード』

岩佐 十良

Iwasa Thoru

岩佐 十良
（いわさ とおる）

Profile

1967年東京生まれ。1989年武蔵野美術大学在学中にデザイン会社（株式会社自遊人）を創業、1990年リクルートの学生向け雑誌「Ki ッカケ」創刊時に編集を委託され、デザイナーから編集者に転身。2000年雑誌「自遊人」を創刊。2004年、東京・日本橋から新潟・南魚沼に会社を移転。2010年から雪国観光圏で「雪国A級グルメ」をスタート、プロデューサーに。2014年新潟大沢山温泉に「里山十帖」開業。2018年「商店街HOTEL 講 大津百町」（滋賀県大津市）、「箱根本箱」（神奈川県箱根町）、2020年「松本十帖」長野県松本市）を開業。

2016～18年、2021～22年、グッドデザイン賞審査委員。2017年「Forbes JAPAN」の「地方を変えるキーマン55人」に選出される。2019年に開催された新潟県・庄内エリア デスティネーションキャンペーン「日本海美食旅（新潟・庄内ガストロノミー）」では総合プロデューサー就任。その後「新潟県観光立県推進行動計画検討委員会」座長、「新潟ガストロノミーアワード」総合プロデューサーを務めるなど、新潟県のガストロノミーツーリズムを牽引する。

株式会社自遊人代表取締役、編集者、多摩美術大学 客員教授、武蔵野美術大学 客員教授

忖度一切なし！観光協会が新潟のおすすめ160軒をリストアップ

　2023年3月9日、『新潟ガストロノミーアワード』の発表セレモニーが新潟市内のホテルで開催されました。新潟県が誇る食文化を全国に発信するために創設したこのアワード、内外に発信するべき

新潟ガストロノミーアワード　大賞・特別賞の発表セレモニー

県内の飲食店を100軒、旅館・ホテルを30軒、特産品30品をリスト化して、さらに大賞、特別賞を授与しました。主催は公益社団法人新潟県観光協会と一般社団法人ローカル・ガストロノミー協会。県の観光協会がおすすめの店や旅館をリスト化するという前代未聞のプロジェクトです。

　言うまでもありませんが、全国の観光協会では特定の飲食店や旅館を推すことは御法度とされてきました。どこの飲食店が美味しいか？と聞かれれば「うちの県はみんなそれぞれ頑張っています」と答え、おすすめのホテルは？と聞かれれば「価格帯によっていろいろあります。ご希望の価格とホテルタイプは？」と答えてきました。

　ガストロノミーツーリズム全盛の今、それでは旅行者の

要望に応えられないばかりか、プロモーションも的外れなものばかりになってしまいます。自然景観や特産品の映像を繋ぎ合わせるだけでは何も伝わりません。さらに「魚も、野菜も、肉も美味しい」といった総花的PRは時代遅れも甚だしく、予算の無駄遣い以外のなにものでもありません。旅行者の求めているのはもっと具体的で、絞り込まれた情報です。

と、ここまで読んで「そんなことはわかっている」「知りたいのは、そのようなアワードがどうして可能になったのか？」と思う方がほとんどでしょう。

このアワードを可能にした背景はいくつかあります。

1　新潟県観光立県推進行動計画にガストロノミー（ツーリズム）の発信強化が明記されていること。
2　観光文化スポーツ部の部長をはじめ、担当課長の柔軟な理解があったこと。
3　観光企画課と県観光協会の担当者が覚悟を決めたこと。
4　一般社団法人ローカル・ガストロノミー協会との共催にしたこと。
5　指針を明確にするため、そして〝万が一〟に備えて総合プロデューサーを配置したこと。
6　一般社団法人雪国観光圏で、すでにガストロノミーツーリズム推進の実績があったこと。

私はアワードの総合プロデューサーであり、一般社団法人ローカル・ガストロノミー協会の代表理事という立場ですが、なによりこのアワードの凄いところが、160軒のリストに「忖度が一切ない」ことです。「なんとか組合の理事だから」「県の事業に協力してくれているから」「まちの有力者だから」などの諸事情から候補を挙げれば、あっという間に160以上のリストができあがります。しかしこれでは意味がない、というより最悪です。

ガストロノミーツーリズムの中心にいるのは、小さな飲食店や旅館、小規模な生産者であることがほとんどです。誤解を恐れずに言うならば、一匹狼的なシェフや変わり者の生産者も多かったりします。従来の組合や協会からは名前が挙がってこない飲食店や旅館、生産者にスポットライトを当てるにはどうしたらいいか。そしてそれらの事業者が横のつながりを深めるためには何をしたらいいか。

あくまで一般論に過ぎませんが、行政や観光協会、飲食店組合等では「一匹狼的な事業者は自分のことしか考えておらず、県や町単位、組合等への協力をしてくれない」と思っています。しかしそれは大きな間違いです。協力してくれないのは、そもそも協力を依頼していないからか、協力を求めるプロモーションが的を外しているから。むしろ彼らは自分の住む土地へのリスペクトは人一倍あることが多かったりします。

2020年、新潟県初の『ミシュランガイド新潟2020特別版』が発行されました。星が付いたのは21軒。この先はあくまで個人としての目標ですが、次回、仮に5年後、ミシュランガイド新潟が発行される場合、星の数を倍の40軒にしたいと私は各所で話しています。40軒というのは東京・京都・大阪・

福岡に次ぐ星の数。２０２１年に発行された『ミシュランガイド北陸（石川・富山・福井）２０２１特別版』では石川県が２０１６年の30軒から大きく数を伸ばし38軒が星付きとして掲載されました。つまり石川（金沢）を超えるガストロノミーツーリズム先進県にしたい、というより「京都に次ぐ食文化県として世界から認められたい」というのが個人的な目標です。

しかし現状の21軒を40軒に増やすというのは容易なことではありません。

２０２２年12月、ＵＮＷＴＯ（国連世界観光機関）主催の「第7回ＵＮＷＴＯガストロノミーツーリズム世界フォーラム」が奈良県で開催されました。奈良県は新潟県同様、ガストロノミーツーリズムに積極的な県ですが、同年春に発表された2冊目の『ミシュランガイド奈良２０２２特別版』で星を獲得したのは22軒。２０１６年から軒数は変わりませんでした。星の数がすべてではありませんが、県がどんなに積極的にガストロノミーツーリズムを推進しようとしても、5年経って「軒数変わらず」では対外的な訴求効果は強いとは言えません。というより、それほどにミシュランの星を取るのは難しく、思うほど簡単ではありません。

つまりガストロノミーツーリズムを推進するつもりなら、尖った事業者の立場を理解し、その事業者のやる気を引き出し、本気で支援しない限り成功しないということです。従来の行政視点、観光協会視点、組合視点をがらりと変えて取り組む必要があるのです。

そこで重要になってくるのが総合プロデューサーという立場です。

グルメ旅とガストロノミーツーリズムの違い

ここで、そもそも「ガストロノミー」とはなんなのか？　あらためて整理しておきたいと思います。「ガストロノミー」は「美食学」と訳されます。「学」であることが重要です。そして日本には「ローカル・ガストロノミー」という考え方があります。実はこの言葉を作ったのは私なのですが（2017年11月号の『自遊人』ではじめて使われた造語）、ローカル・ガストロノミーとは「料理で風土・文化・歴史を表現すること」と定義しています。ひと昔前、「ガストロノミックな料理」といえば、液体窒素をはじめとした最先端調理器具（技術）を使った料理を指していました。「分子料理」「分子ガストロノミー」とも言われ、調理に科学的分析と最先端技術を取り込むことによって、新たな味覚と形態、さらに言うならば現代美術的な表現を生み出しました。それから30年、分子ガストロノミーは広く定着し、今では単に技術の一つ、表現方法の一つと見ることが多くなりました。

一方で、グローバリゼーションの反動としてローカリゼーションが世界で見直される今、そして国や民族、個人の多様性が重要視される今、さらに分子ガストロノミーによる純な味から自然が生み出す雑味への回帰が進む今、注目されているのが「地域の風土・文化・歴史を表現するローカル・ガストロノミー」なのです。

では「地産地消」とはなにが違うのでしょうか？　地産地消は文字のとおり、経済活動の一環として、フードマイレージを減らす手段として、その土地でとれたものをその土地で消費することを指します。ガストロノミー的視点、つまり学問的に地産地消を俯瞰すると、さらに踏み込んだ視点が必要になります。例えば土壌をどのように作っているのか？　用水や川を汚していないか？　水を使い過ぎていないか？　生命の尊厳について考えられているか？　などなど。そしてローカル・ガストロノミーではこれらの視点に加え「風土・文化・歴史をどのように料理に表現しているのか？」が問われる、というわけです。

ＳＤＧｓ的な視点は当然であり、その上で芸術表現や文化表現を料理で行う。そして、地域の食材だけに目を向けるのではなく、地域の伝統技法や伝統文化、さらにさまざまな産業にまで視点を広げること、それがローカル・ガストロノミーなのです。

ここまでの説明で、ガストロノミーツーリズムが「グルメ旅とは何が違うのか？」もはや説明する必要はないでしょう。なぜ今、世界中でガストロノミーツーリズム推進が掲げられているのかといえば、それは「文化・芸術分野に近いツーリズムでありながら、経済効果は飲食店、旅館、ホテルだけでなく、第一次産業、さらに伝統産業、鉱工業にまで裾野が広がるものだから」です。

特別審査員の見識にすべて任せる覚悟

「文化・芸術分野に近い」と聞けば、プロデューサーやディレクターの存在が不可欠だと気が付く方も多いに違いありません。単に消費額や入り込み客数を競うのであれば、大手広告代理店や旅行代理店に委託するのも悪くないでしょう。その際には明確なプロデューサーやディレクターを配置する必要もありません。ただし、一過性の力技ではなく、継続的な活動としていくためには、その道筋を立てること、つまり戦略性のあるプロデュースが重要になってきます。

当然ながら審査員は誰がしているのか、すなわち「誰がつくったリストなのか」という点が重要課題になってきます。公開されている審査員プロフィールから抜粋します。

特別審査員長　中村孝則

１９６４年神奈川県葉山町生まれ。ファッションからレストラン、酒やシガーなど文化や嗜好品をテーマに幅広く執筆・発信している。現在、「世界のベストレストラン50」ならびに「アジアのベストレストラン50」の日本評議委員長を務める。ＪＲ九州「ななつ星in九州」車内誌「SEVEN STARS PRESS」編集長。著書に「名店レシピの巡礼修業」（世界文化社）、共著に「ザ・シガーライフ」（ヒロミエンタープライズ）など。現ベスト・オブ・コロンビア大使、大日本茶道学会茶道教授、剣道教士七段。

特別審査員（シェフ部門）

Villa AiDA　小林寛司シェフ

大胆に野菜を使った料理の数々が注目を集める。野菜はほぼすべて、レストランそばの畑で、約130種類を小林シェフ夫妻自らが栽培。野菜を生かし尽くすアグリガストロノミー。2021年10月「ミシュランガイド京都・大阪＋和歌山 2022」において二つ星獲得という快挙。2022年「アジアのベストレストラン50」では初登場14位。the Highest New Entry Awardも同時に受賞。（後略）

La Cime　高田裕介シェフ

独創的で枠にとらわれず、変化し続けるフリースタイルのフレンチが魅力。アジアのみならず、世界から注目を集める。「ミシュランガイド京都・大阪＋和歌山2022」では二つ星を維持。2021年「アジアのベストレストラン50」第8位、2022年は第6位へと上昇した。名実ともに大阪が誇るスターシェフである。（後略）

Goh　福山剛シェフ

常に斬新で、独創的なフレンチを作り出す、ラ メゾン ドゥ ラ ナチュール ゴウ。九州地区にミシュランの星付きレストランはいくつかあるが、「アジアのベストレストラン」へもランクインを果たし、独自のプレゼンスを示すレストランとして注目を集める。（中略）２０２１年は「アジアのベストレストラン50」30位入賞。２０２２年、バンコクのシェフ、ガガン・アナンドと共に「GohGan」を開業。

この先を書いていくと文字数が足りなくなるので、お名前だけ記載します。

温泉ビューティ研究家・旅行作家　石井宏子
食の編集&ディレクター　山口繭子
株式会社柴田書店　書籍編集部 編集委員　淀野晃一
青稜中学校・高等学校　校長　青田泰明
ワインテイスター／ソムリエ　大越基裕
音楽プロデューサー／選曲家　田中知之

さらに5名のローカル審査員。

食と料理の研究家　木村正晃

「新潟Komachi」編集長　佐藤亜弥子
料理研究家　佐藤智香子
「月刊にいがた」編集長　霜鳥彩
「月刊キャレル」編集長　間仁田眞澄

さていかがでしょう。私がいうのもなんですが、錚々たるメンバーです。そしてこの審査員の方々が喧々諤々の議論の末に決めたのが160軒のリストなのです。もちろんリストに「完璧」はありませんが、県外のお客さん、海外からのお客さんが新潟に来た際、リストから飲食店を選び、宿を選び、特産品を買って帰ったならば、かなり満足度の高い「新潟らしい食文化」を体感できるでしょう。

ちなみに、このリストに対して、県や観光協会からの異議や「この店を加えてほしい」といった要望は一切ありませんでした。リストに言いたいことはあったに違いありません。でも誰も何も言わず、「特別審査員とローカル審査員の見識にすべて任せる」というスタンス。これが果たして他県でできるでしょうか？　新潟ガストロノミーアワードの成功は、この県の柔軟な対応と担当部署の覚悟があったから、と言っても過言ではありません。

そしてもう一つ、このアワードが成功したか否かを測る指標として重要なのが、受賞者の反応とセレモニーの出席者数です。

総合プロデューサーとしていちばん恐れていたことは「賞の辞退」でした。しかし先に新聞やネットで発表された160軒の受賞者リストを見て、ほとんどの方が「ちゃんと審査している」と感じてくれたのでしょう。結果、大賞・特別賞の発表セレモニーには160軒ほとんどの受賞者が参加し、辞退者もいませんでした。さらに県内外のメディア合わせて350名以上が集まったのです。

あくまで非公式ですが、新潟のガストロノミーツーリズム推進には「京都に次ぐ食文化県」を目指している裏ビジョンがあります。その目標に向けた戦略としてのアワード開催。今後、受賞者がさらに努力をすれば、そして若い世代が横のつながりを深めてチャレンジすれば、十分可能である強い手応えを感じています。

リクルートで学んだ「目標必達」

ところで、この本の書名は「元リクルートのすごいまちづくり」と聞いています。しかし私はリクルート出身ではありません。編集責任者の樫野孝人さんから「正確には出身じゃないけれど、出身みたいなものだから」と執筆依頼をいただきましたが、私がどのようにリクルートと関わり、そして何を学んだのか記しておきたいと思います。

リクルートとのつながりは大学時代に始まりました。武蔵野美術大学に通う友人4~5人と、鷹の台

主催：公益社団法人 新潟県観光協会、一般社団法人 ローカル・ガストロノミー協会 / 事務局：株式会社 滝沢印刷 TEL.025-757-2191

駅前にある6畳一間のボロアパートでデザイン事務所みたいなものを始めていました。そこに突然現れたのが、津端尚保さんというリクルートの社員。当時、ぼくたちはデザインの仕事の傍ら、32ページくらいの小冊子を自分達で編集・発行していました。それをけっこうな部数、ばら撒いていたのですが、それを見た津端さんが本当に突然、ぼくたちのボロアパートにやってきたのです。

「きみたち、おもしろいことしているね。一度、銀座のG8ビルに来てみない？」

銀座のビルに行くと今度は秋山進さんというリクルートの社員にこう誘われました。

「今度、学生向けの雑誌をつくるんやけど、きみらも参加してみるか？」

何度かG8に足を運ぶうちに話はエスカレートしていき、ほぼ丸ごと一冊の編集を任せてもらえることになりました。当時、G8にあったグラフィックデザイナーの亀倉雄策さんの事務所にも連れて行ってもらい、そこでは大人の洗礼というか、仕事の厳しさみたいなものを学びました。秋山さんは亀倉事務所でニコニコしながら、ぼくにこう話したのです。

「デザイナーいうもんは才能と努力の両輪が必要で、こうやって何人ものスタッフを抱えて仕事をするんは本当に大変なんや。きみに亀倉さんのようなデザイナーの才能はないと思う。でも編集の仕事は向いてると思うねん。デザインの仕事はもうやめて編集者にならへんか？」（秋山さんは関西人です）

正直「ひどいことを言うなぁ」と思った一方で「そのとおりかもしれない」と感じたことを鮮明に覚えています。

リクルートで学んだことは、まず「任せる」こと。従来の手法や常識にはまったくとらわれず新しいことにチャレンジしていくこと。そして「ダメなものはダメ」とはっきりさせること。その後、ぼくたちは「おもしろい編プロなんだよ、彼ら」とリクルート内で紹介されるようになり、ほとんどの雑誌に首を突っ込むことになるのです。

リクルートはその社内も刺激的でした。天井からぶら下がる目標達成金額と達成者の氏名。毎日流れる社内放送。その仕事がどれだけお金を生んでいるのか、美術大学で学んだぼくたちにとっては、それは衝撃的でした。

大学時代のぼくたちは、「面白いこと」「新しいこと」が全て。経済的に成功するかどうかなんて考えたことがありません。面白ければ、新しければ、お金はあとからついて来ると信じていました。しかし学生起業のぼくらの会社は、数年後、深刻な経営危機に直面します。ギャラリーを開設し、新進イラストレーターやアーティストのアートプロモーションを行うようになったのですが、その赤字が経営を蝕んだのです。

ぼくらがリクルートで学んだのは会社経営そのものかもしれません。1989年の創業から何度も経営危機を乗り越えてきたのはリクルートでの学びのおかげ。当然といえば当然のことなのですが、目標売上を設定し、確実に達成する。収支計算を徹底的に行い、プロジェクトごとの経費と外注費を徹底的に管理して必ず利益を出す。そのためにはまず「売れる」「当てる」ことが大前提。ぼくたちは「面白いこと」「新しいこと」を追求しながらも「当てる」ことに注力するようになります。

この考え方は今の事業のすべてにつながっていて、民間企業のコンサルや企画案件、例えば旅館再生や新規開業の際には「利益が本当に出るか？」「失敗しないでいけるか？」を最重要視します。そして新潟ガストロノミーアワードのような公民連携プロジェクトの場合、最重要視するのは「社会的意義と社会へのインパクトがあるのかどうか」。

正直、行政の仕事は儲かりません。私たちの会社は「行政の仕事を受注している」という社会的信用の連鎖による仕事をしていません。なので、意義がないならやらないほうがいい。インパクトがないならやる意味がない。民間企業の企画案件と同じように「失敗しない」ように戦略を立てますが、仮に失敗して（誰かの怒りに触れて）「自遊人には発注を出さないように」「もう岩佐に総合プロデューサーはやらせない」と言われても、それはまったく結構。つまらない仕事をするより、ソーシャルインパクトを考えて仕事をする、それが私たちの生き方であり、考え方です。

ちなみに、本書の執筆をお声かけくださった樫野さんは、ぼくたちがはじめてつくった雑誌「Kiッカケ」の初代編集長である秋山さんの、次にやってきた編集長。今でも樫野さんの言葉で印象に残っているのが「社会の枠組みを作るのがもっともクリエイティブだ」。若いころのぼくたちはリクルートからいろんな刺激を受けました。そして樫野さんのひと言がどこか心のなかの重要なところに潜んでいたことが、ぼくたちが「まちづくり」に関わるようになった「Kiッカケ」なのかもしれません。

おわりに

「日本、大丈夫？」と「リクルートのキャリアは地域創生との相性がいい」からスタートした、かもめ地域創生研究所の報告書籍第４弾です。

元リクルートたちの地域での取り組みを紹介させていただきました。

「活性化している地域は、その〝まち〟に多様性がどれくらいあるかどうかにかかっている」という視点に、今回私自身はたいそう感じ入り、そんな視点で読んでみました。

私が生まれ育った時代は、一極集中、大量生産・大量販売、画一化、効率化の時代でした。それが繁栄をもたらしていたわけですが、時をへてそのこと自体が、地域やひいては日本の活力を奪っているんだなと気づかされます。

そして多様化という課題に対し、元リクたちが地域独自のコンテンツづくり、ひとづくり、そしてビジネスサポートで関わっている活動を本書で報告してくれています。

私は、リクルートで長らく自社の新卒採用の仕事をしていました。

リクルート事件で世間からは悪の会社と言われていた時も、多くの学生が入社してくれました。振り返るとそれは、彼らの持っていた特徴に起因していたんだと思います。

・事件でいろいろ注目されてるけどなにか面白そう……好奇心が強い
・世間では悪というけど、そうなのか？別の見方もある……柔軟性がある
・親は反対だが、なんとかなるんじゃないか……楽観性がある
・自分が入ってこの苦境を助けなければ……冒険心がある

こんな風に考えた若者が、「なにかわからないけど、面白そうなので行きます！」と言ってリクルートに入社してくれました。

いや、事件の時に限らず、リクルートはこんな人を採用していたと思います。

この本を読みますと、どの話も好奇心、柔軟性、楽観性、冒険心をもって取り

組んでいるなぁと思います。「元リクルートのすごいまちづくり」というタイトルですが、こんな特徴を持った人たちのまちづくりであって、元リク以外でも持ちえて取り組めるものだと思います。

本書をお読みになって、「なんか面白そうだな」とお感じになられたら、ぜひ私たちにからみに来ていただけると幸いです。

好奇心、柔軟性、楽観性、冒険心が刺激され、何かにチャレンジしたくなっていくんじゃないかなと思います。

採用の神さま・アイカンパニー 初代校長
かもめ地域創生研究所 主任研究員　小畑 重和

一般社団法人かもめ地域創生研究所

首長・地方自治体に対して、教育、就職、旅行、結婚、住まい、地域起こし、女性活用など生活者視点に立ったコンサルティングや人材紹介、講演、研修など、地域創生のお手伝いをすること、優れた首長を100人輩出することを目的に設立された政策シンクタンク。現在のメンバー数は元リクルート中心に500名超。

樫野 孝人（かしの たかひと）

1986年株式会社リクルート入社。人材開発部などを経て、福岡ドーム（現・福岡PayPayドーム）のコンサルティング。2000年株式会社アイ・エム・ジェイの代表取締役社長に就任し、株式上場。神戸市長選挙に２度立候補するも惜敗。その後、広島県や京都府の参与や兵庫県議会議員を経て、株式会社CAP代表取締役。全国地域政党連絡協議会（地域政党サミット）顧問、かもめ地域創生研究所理事。著書に「おしい！広島県の作り方～広島県庁の戦略的広報とは何か？～」「仕事を楽しむ整える力～人生を自由に面白くする37の方程式～」「公務員のための情報発信戦略」など。

元（もと）**リクルートのすごいまちづくり 3**

2023年7月10日　初版発行

編　　者　かもめ地域創生研究所
　　　　　樫野　孝人
　　　　　嘉納　泉

発 行 所　CAPエンタテインメント

〒654-0113 兵庫県神戸市須磨区緑ヶ丘1-8-21
TEL：070-8594-0811
https://kashino.net/

印刷・製本／シナノ書籍印刷

ISBN 978-4-910274-08-9 Printed in Japan

既刊本のご案内

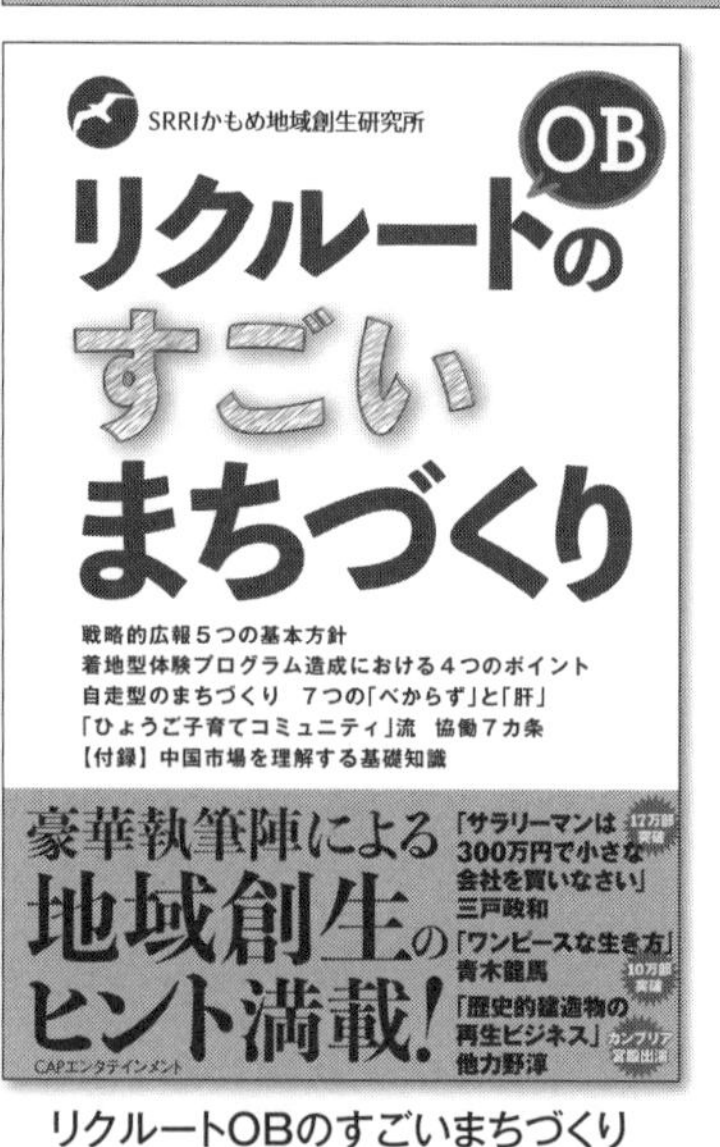

リクルートOBのすごいまちづくり

定価＊1500円（税別）　ISBN 978-4-907338-07-7

PTAのトリセツ～保護者と校長の奮闘記～

定価:1000円（税別）　ISBN 978-4-910274-01-0

リクルートOBの
すごいまちづくり
議員という仕事

定価＊1500円（税別）
IISBN 978-4-910274-06-5

公務員のための
情報発信戦略

定価＊1500円（税別）
ISBN 978-4-910274-04-1

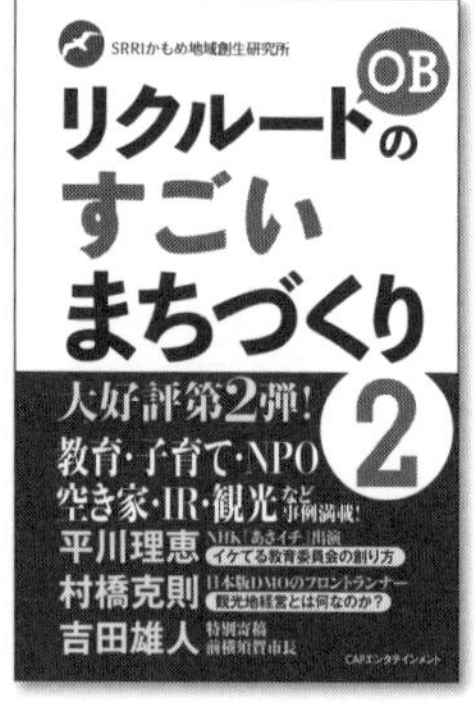

リクルートOBのすごい
まちづくり 2

定価＊1500円（税別）
ISBN 978-4-910274-00-3

【お問合せ】 info@kashino.net